AGALMA

Collection dirigée par Thierry Paquot

Platon dans Le Banquet *écrit que Socrate est « tout pareil à ces silènes qu'on voit exposés dans les ateliers de sculpture [...] ; les entrouvre-t-on par le milieu, on voit qu'à l'intérieur ils contiennent des figurines (αγαλμα) de dieux ! ».*

Ces statuettes, ou agalma, *symbolisent la quintessence du dieu qu'elles habitent... autant dire que chaque volume de cette collection tentera de présenter, en un texte ramassé, l'*essentiel *d'une thèse sans nécessairement s'entourer de tout l'habituel appareil scientifique souvent encombrant... Aller* au cœur *d'une pensée afin de* prendre position *et d'ouvrir des* pistes *sur le* chantier *en constant renouvellement de la connaissance, tel est le pari des auteurs.*

DANS LA MÊME COLLECTION

Robert Boyer, *La Théorie de la régulation : une analyse critique.*
Michel Aglietta, *La Fin des devises clés.*
Michel Beaud, *Le Système national mondial hiérarchisé.*
Serge Latouche, *L'Occidentalisation du monde.*
Alain Caillé, *Critique de la raison utilitaire.*
Gérard Mairet, *Discours d'Europe.*
Pierre Salama, *La dollarisation.*
Jacques Sapir, *L'économie mobilisée, essai sur les économies de type soviétique.*

Michael WALZER

CRITIQUE ET SENS COMMUN

Essai sur la critique sociale et son interprétation

Traduit de l'anglais par Joël Roman

ÉDITIONS LA DÉCOUVERTE
1, place Paul-Painlevé
75005 PARIS
1990

DU MÊME AUTEUR

De l'exode à la liberté : essai sur la sortie d'Égypte, éd. Calmann-Lévy, Paris, 1986.

La Révolution des saints : éthique protestante et radicalisme politique, éd. Belin, Paris, 1988.

Régicide et Révolution : le procès de Louis XVI, éd. Payot, Paris, 1989.

Si vous désirez être tenu régulièrement au courant de nos parutions, il vous suffit d'envoyer vos nom et adresse aux Éditions La Découverte, 1, place Paul-Painlevé, 75005 Paris. Vous recevrez gratuitement notre bulletin trimestriel **À La Découverte**.

ISBN 2-7071-1869-9

DU MÊME AUTEUR

De l'exode à la liberté : essai sur la sortie d'Égypte, éd. Calmann-Lévy, Paris, 1986.

La Révolution des saints : éthique protestante et radicalisme politique, éd. Belin, Paris, 1988.

Régicide et Révolution : le procès de Louis XVI, éd. Payot, Paris, 1989.

Titre original : *Interpretation and Social Criticism*, Harvard University Press, 1987.

ISBN 2-7071-1869-9

Avant-propos

Je me suis fixé pour tâche de comprendre philosophiquement cette pratique sociale très particulière qu'est la critique de la société*. Que font les critiques sociaux ? Comment en viennent-ils à adopter cette attitude ? D'où viennent leurs principes ? Comment établissent-ils la distance qui les sépare du peuple ou des institutions qu'ils soumettent à la critique ? La thèse défendue dans cet essai considère que la critique sociale doit être comprise comme *interprétation critique* ; cette thèse recoupe celles avancées récemment par plusieurs philosophes européens. Mais j'ai essayé de la formuler pour mon propre compte, dans mon propre langage, sans référence directe à leurs travaux. Je souhaite publier dans un proche avenir un livre plus important concernant la pratique de la critique au XXe siècle, un livre plus explicitement politique,

* *Social criticism* : cette expression n'a pas d'équivalent français satisfaisant. J'ai en général choisi de la rendre par « critique sociale », moins familier en français, mais moins pesant que « critique de la société », et de traduire *social critic*, celui qui se livre à l'activité de la critique sociale par « critique social ». Les notes du traducteur sont appelées par un astérisque, celles de l'auteur par des chiffres. Je remercie Marie-Claire de sa collaboration active à cette traduction (*N.d.T.*).

dont celui-ci constitue le préambule théorique. Là je poserai la question suivante, qui est autant politique que philosophique : la critique sociale est-elle possible sans « théorie critique » ?

Les deux premiers chapitres ont fait l'objet des *Tanner Lectures on Human Values* à l'université de Harvard les 13 et 14 novembre 1985 et sont ici publiés avec l'autorisation des organisateurs. Le troisième chapitre a été exposé lors d'une conférence prononcée le lendemain à Harvard Hillel. Ces trois chapitres furent écrits à peu près en même temps ; ils emploient le même vocabulaire et soutiennent la même thèse ; ils sont solidaires, le dernier comblant ce qui manque aux deux premiers : un certain degré de concret et de précision historiques.

Je suis très redevable aux nombreux membres de la communauté universitaire de Harvard, eux aussi critiques, qui assistèrent à ces conférences et rectifièrent mes erreurs. Les retouches que j'ai apportées au texte initial portent la marque de leurs observations — particulièrement celles de Martha Minow, Michael Sandel, Thomas Scanlon, Judith Shklar, et Lloyd Weinreb — bien qu'elles ne la portent le plus souvent que confusément et de manière incomplète. « Le prophète comme critique social » a été discuté dans une version antérieure à un symposium sur la prophétie à l'université de Drew et publié dans le *Drew Gateway* avec une réponse utile de Henry French. De nombreux membres de l'Institute for Advanced Studies ont lu pour moi ces conférences et m'ont fait part de leurs commentaires détaillés : Clifford Geertz, Don Herzog, Michael Rustin, et Alazin Wertheimer. Bien que j'en porte seul la responsabilité, ils ont beaucoup contribué à la forme finale de cet écrit.

1.
Les trois voies de la philosophie morale

En dépit du titre de ce chapitre, je ne prétends pas qu'il n'y ait que trois manières, et trois seulement, de faire de la philosophie morale. En effet, mon propos n'est pas d'en dresser la liste exhaustive, mais d'examiner trois approches classiques et importantes du sujet. Je les appelle la voie de la découverte, la voie de l'invention et la voie de l'interprétation. Je pense pouvoir montrer que cette dernière est la seule des trois à s'accorder à notre expérience quotidienne de la morale. Puis dans le chapitre suivant, j'essaierai de défendre l'interprétation contre l'accusation selon laquelle cette approche nous lierait irrévocablement au *statu quo* — dans la mesure où nous ne pouvons interpréter que ce qui existe déjà — et saperait ainsi la possibilité même d'une critique sociale. Puisque la critique est un aspect de la morale quotidienne, cette accusation revêt un double caractère : elle ne suggère pas seulement que l'interprétation n'est pas la bonne tâche que peut se proposer l'expérience morale, mais aussi qu'elle n'en rend pas bien compte. Aux yeux de ceux qui l'accusent ainsi, l'interprétation n'est une approche adéquate ni dans une optique normative ni dans une optique descriptive. Je répondrai à ces deux aspects de l'accusation en usant, dans ce chapitre, d'une opposition théorique et, dans le suivant, d'un exemple pratique ; m'intéressant tantôt à l'aspect « compte rendu », tantôt à l'aspect « tâche à accomplir », sans toutefois me sentir prisonnier de cette division trop simple et sans doute trompeuse. Le dernier chapitre réunira ces deux aspects dans une longue analyse historique de la critique de la société sur le mode interprétatif, et particulièrement du prophétisme biblique.

La voie de la découverte nous est d'abord et au mieux présentée par l'histoire des religions. Là, à coup sûr, la découverte repose sur la révélation ; mais il faut que quelqu'un escalade la montagne, pénètre le désert, aille chercher le Dieu-qui-révèle, et ramène ses paroles. Ce quelqu'un est pour le restant d'entre nous le découvreur de la loi morale : certes, Dieu la lui a révélée, mais à nous, c'est lui qui l'a révélée. Comme le monde physique, comme la vie elle-même, la morale est une création ; mais nous n'en sommes pas les créateurs. Dieu l'a faite, et nous parvenons avec son aide et avec celle de ses ministres à la connaître et ensuite à l'admirer et à l'étudier. La morale religieuse prend ordinairement la forme d'un texte écrit, d'un livre sacré, qui requiert ainsi une interprétation. Mais nous la rencontrons d'abord sur le mode de la découverte. Le monde moral est l'analogue d'un nouveau continent et le chef religieux (le ministre de Dieu) est l'équivalent d'un explorateur qui nous apporte la bonne nouvelle de son existence et la première carte de ses contours.

Je voudrais relever un trait saillant de cette carte. Le monde moral n'est pas seulement une création divine ; il est constitué d'injonctions divines. Ce qui nous est révélé est un ensemble de décrets : fais ceci ! ne fais pas cela ! Et ces commandements ont un caractère critique, ils sont d'emblée critiques, car il serait difficile d'admettre comme une révélation l'injonction à faire ou à ne pas faire ce que nous sommes déjà en train de faire ou de ne pas faire. Une morale révélée se tiendra toujours en contraste aigu avec les vieilles idées et les vieilles pratiques. Ce pourrait bien être son principal avantage. Mais c'est nécessairement un avantage de courte durée, car une fois la révélation acceptée, une fois peuplé le nouveau monde moral, le versant critique est perdu. Désormais les décrets divins — du moins le prétendons-nous — régissent notre comportement quotidien ; nous sommes ce que Dieu nous demande d'être. Certes, toute morale, une fois découverte, peut toujours être redécouverte. La prétention d'avoir fondé à nouveau quelque doctrine tombée en déshérence ou corrompue est le fondement de toute réforme morale et religieuse. Mais Dieu n'y est pas présent de la même manière qu'il l'était à l'origine. La *re*-découverte ne repose pas sur la révélation ; elle est notre œuvre propre, qui prend une forme archéologique, et nous avons à interpréter ce que nous avons mis au jour. La redécouverte de la loi morale n'a pas la clarté éclatante de sa première apparition.

Je donne ce bref aperçu de la morale religieuse en prélude à une histoire plus séculière. Il y a des révélations naturelles comme il y a des révélations divines, et le philosophe qui nous informe de l'existence d'une loi naturelle, de droits naturels, ou d'un ensemble quelconque de vérités morales objectives a emprunté la voie de la découverte. Peut-être l'aura-t-il fait en anthropologue moral, cherchant ce qui est naturel dans ce qui est réel. Plus vraisemblablement, eu égard à la forme type de l'entreprise philosophique, cette quête aura été mentale, intérieure, faite de détachement et de réflexion. Le monde moral apparaît quand le philosophe quitte sa position sociale pour se retirer dans son for intérieur. Il s'arrache à ses intérêts et à ses fidélités de clocher; il abandonne son propre point de vue et regarde le monde dans « l'absence d'un point de vue particulier », comme l'a dit Thomas Nagel[1]. Ce projet est au moins aussi héroïque que celui d'escalader une montagne ou de marcher dans le désert. « L'absence d'un point de vue particulier » voisine avec le point de vue de Dieu, et ce que le philosophe voit de là est quelque chose qui s'apparente fortement à une valeur objective. C'est-à-dire, si je comprends bien l'argument, qu'il se voit parmi tous les autres, qu'il ne se trouve pas différent d'eux tous, et reconnaît les principes moraux qui gouvernent nécessairement les relations de telles créatures.

Cette nécessité n'est toutefois pas pratique, mais morale, sans quoi nous n'aurions pas besoin de revenir sur nos pas pour la découvrir. Donc les principes, une fois de plus, sont des principes critiques ; ils se tiennent à quelque distance des opinions et des pratiques de chez nous. Et une fois que nous les avons découverts, ou une fois qu'ils nous ont été annoncés, nous devons les intégrer à notre vie morale quotidienne. Mais je dois confesser une moindre confiance dans cette découverte séculière que dans la découverte religieuse antérieure. La plupart du temps, les principes moraux qui nous sont ici proposés sont déjà en notre possession, et depuis longtemps intégrés, familiers et passablement fréquentés. La décou-

1. NAGEL, « The Limits of Objectivity », in *The Tanner Lectures on Human Values*, vol. I, Salt Lake City, Utah University Press, 1980, p. 83. Cf. NAGEL, *The View from Nowhere*, Oxford, Oxford University Press, 1986.

verte philosophique est loin d'approcher la nouveauté radicale et le tranchant spécifique de la révélation religieuse. Les exposés de la loi naturelle ou des droits naturels sonnent rarement comme la description d'un nouveau monde moral. Prenons par exemple la découverte par Nagel d'un principe moral objectif : nous ne devrions pas être indifférents aux souffrances des autres[2]. Je reconnais volontiers le principe, sans pouvoir éprouver l'excitation de la découverte : je le savais déjà. De telles découvertes sont plutôt des extractions de principes moraux de telle manière que nous puissions les voir, non certes pour la première fois, mais comme refaits à neuf, tirés hors de leur gangue d'intérêts et de préjugés. Vus de cette manière, les principes peuvent bien paraître objectifs ; nous les « connaissons » autant que des religieux connaissent la loi divine. Ils sont *là-bas*, pour ainsi dire, attendant d'être mis en œuvre. Mais ils ne sont là-bas que dans la mesure où ils sont ici en fait, déjà des formes de la vie ordinaire.

Je ne cherche pas du tout à nier qu'on puisse faire cette expérience, revenir sur ses pas, quoique je doute que nous puissions jamais rebrousser chemin pour arriver nulle part. Même lorsque nous regardons le monde *d'un autre endroit*, nous regardons toujours le monde. Nous regardons en fait un monde singulier ; nous pouvons bien le voir dans une clarté particulière, mais nous n'y découvrirons rien qui n'y soit déjà. Or comme ce monde singulier est aussi notre monde, nous n'y découvrons rien qui n'y soit déjà. C'est peut-

---

2. « Limits of Objectivity », p. 109-110. La critique de la société que fait Nagel s'inspire de principes plus substantiels. Mais je ne sais pas jusqu'à quel point ce sont là des principes « objectifs ». Cf. NAGEL, *Mortal Questions*, Cambridge, Cambridge University Press, 1979, chap. 5-8 (trad. franç. de Pascal Engel, *Questions mortelles*, PUF, Paris, 1983).

être là une vérité générale à propos des découvertes (morales) séculières ; si tel est le cas, nous pouvons pressentir ce que nous avons perdu en perdant notre foi en Dieu.

Mais j'ai supposé un philosophe qui s'efforce de voir plus clairement, quoique seulement dans une esquisse abstraite, la réalité morale qui est en face de lui. On peut au contraire mettre cette réalité en question, et s'engager dans la quête d'une vérité plus profonde, comme un physicien cherchant à percer les secrets de l'atome. La philosophie morale du nom d'utilitarisme, fondée sur la vérité très profonde du désir et de l'aversion, fut probablement une découverte de cette sorte. Ne présupposant à l'origine aucun dieu, et totalement dépaysant dans ses conclusions, l'utilitarisme laisse pressentir ce que nous gagnons à imiter la science. Bentham croyait à l'évidence être parvenu à un ensemble de principes objectifs, dont l'application ne rejoint pas, la plupart du temps, les formes de la vie ordinaire[3]. Effrayés par l'étrangeté de leurs propres conclusions la plupart des philosophes utilitaristes truquent le calcul du bonheur (*felicific calculus*), de telle manière que ses résultats se rapprochent de ce que nous pensons tous. Ils ramènent ainsi l'exception à la règle : si l'on ne fait pas confiance à la révélation, nous ne pouvons découvrir que ce que nous savons déjà. La philosophie vient en second

3. Bentham suggère que l'utilitarisme rend au mieux compte de ce que les gens ordinaires pensent en morale, mais ses ambitions vont bien au-delà d'un tel compte rendu. Il prétend avoir découvert le fondement de la morale : « La nature a placé l'humanité sous la loi de deux maîtres souverains : la douleur et le plaisir. C'est à eux seuls de dire ce que nous devons faire. » (*The Principles of Morale and Legislation*, chap. 1.) Le reste des *Principles* montre que ces deux maîtres ne disent pas toujours ce que les gens ordinaires *pensent* devoir faire.

(dans l'hypothèse basse) et ne nous procure aucune compréhension millénaire, mais la sagesse de la chouette au crépuscule. Il y a bien sûr une autre hypothèse, mais que je trouve plus effrayante qu'attirante : la sagesse de l'aigle au point du jour.

Nombreux sont ceux qui, peut-être pour de bonnes raisons, ne se satisferont pas de la sagesse de la chouette. Certains lui refuseront d'être objective, malgré le détachement du philosophe qui la prône ; mais ce n'est pas un refus que je veux défendre. J'ai tendance à m'accorder avec la manière sarcastique dont Nagel présente les questions du sceptique : quelles raisons puis-je invoquer pour *ne pas* être indifférent à la souffrance de mon prochain ? Quelles raisons de m'en soucier, ne serait-ce qu'un minimum ? Nagel écrit : « S'exprime là un embarras caractéristique de cette insanité philosophique, qui indique que quelque chose de très fondamental ne tourne pas rond[4]. » Certes, mais il y a quelque chose d'encore plus tracassant que cette insanité, et que j'ai déjà relevé : les principes moraux révélés dans telle ou telle philosophie indubitablement saine manquent du tranchant caractéristique et de la force critique de la révélation divine. « Ne sois pas indifférent » n'est pas du tout la même chose que « Aime ton prochain comme toi-même ». Et il est improbable qu'on trouve jamais la seconde de ces injonctions dans une liste des découvertes philosophiques — ne serait-ce que parce que la question « pourquoi devrais-je l'aimer *autant* ? » n'est pas une insanité. Le principe de non-indifférence ou, sous sa version positive, celui du souci minimal, peut être conçu comme un principe critique, mais sa force est incertaine.

4. « Limits of Objectivity », *op. cit.*, p. 110.

Un grand travail reste encore à faire — et il n'est pas sûr qu'il puisse être fait par un homme ou une femme qui adopteraient une absence de point de vue particulier, ou même qui se tiendraient ailleurs — pour mener à bien l'analyse de ses relations à la pratique sociale quotidienne.

Par ailleurs, des hommes et des femmes sans aucun point de vue pourraient construire un monde moral totalement neuf, analogue à la création divine plus qu'aux découvertes de ses ministres. Ils pourraient se lancer dans cette entreprise parce qu'ils pensent qu'aucun monde moral n'existe en fait (parce que Dieu est mort, ou que la nature de l'humanité est radicalement aliénée, ou encore que la nature est dépourvue de significations morales) ; ou bien ils pourraient aussi tenter une telle construction car ils pensent que le monde moral effectif est inadéquat, ou que notre connaissance de celui-ci ne pourra jamais être suffisamment critique, dans la mesure où elle demeure une connaissance. Nous pouvons envisager une telle entreprise dans les termes suggérés par Descartes lorsqu'il décrit son projet intellectuel : « Tâcher à réformer mes propres pensées, et bâtir dans un fonds qui est tout à moi. » En fait, je suppose que Descartes était lancé dans un voyage de découverte, « comme un homme qui marche seul et dans les ténèbres », cherchant la vérité objective[5]. Mais dans les analogies qui lui viennent à l'esprit, il n'y a pas de vérité objective à découvrir et le projet revêt un caractère explicitement constructif :

« Ainsi je m'imaginais que les peuples qui, ayant été autrefois demi-sauvages, et ne s'étant civilisés que peu

5. DESCARTES, *Discours de la méthode*, éd. Adam et Tannery, Paris, Vrin, 1973, t. VI, p. 15-16.

à peu, n'ont fait leurs lois qu'à mesure que l'incommodité des crimes et des querelles les y a contraints, ne sauraient être si bien policés que ceux qui, dès le commencement qu'ils se sont assemblés, ont observé les constitutions de quelque prudent législateur. Comme il est bien certain que l'état de la vraie religion, dont Dieu seul a fait les ordonnances, doit être incomparablement mieux réglé que tous les autres. Et pour parler des choses humaines, je crois que, si Sparte a été autrefois très florissante, ce n'a pas été à cause de la bonté de chacune de ses lois en particulier, vu que plusieurs étaient fort étranges, et même contraires aux bonnes mœurs, mais à cause que, n'ayant été inventées que par un seul, elles tendaient toutes à même fin[6]. »

Tel est le chemin de l'invention ; la fin en est fournie par la morale que nous espérons inventer. Cette fin est une vie commune, où la justice, la vertu politique, le bien, ou quelque autre valeur fondamentale serait réalisée.

Nous devons donc appréhender le monde moral en fonction de cette contrainte : il n'en existe pas d'esquisse préalable, pas d'épure divine ou naturelle pour nous guider. Comment pouvons-nous procéder ? Nous avons besoin d'un discours de la méthode en philosophie morale, et la plupart des philosophes qui ont emprunté le chemin de l'invention en philosophie morale ont commencé par la méthodologie : faire le schéma d'un schéma directeur. (Les existentialistes, qui n'ont pas commencé ainsi, bien qu'ils se soient clairement voués à l'invention morale, ne sont pas d'une grande utilité pour la question de l'invention.) Le *requisit* crucial d'un tel schéma directeur est qu'il aboutisse à un accord. Ainsi

6. *Ibid.*, p. 12.

l'œuvre du législateur de Descartes est très risquée, jusqu'à ce qu'il devienne un personnage représentatif, incarnant en quelque sorte la série des opinions et des intérêts qui sont en jeu autour de lui. Nous ne pouvons pas adopter l'expédient simple consistant à faire du législateur omnipotent un despote rationnel et bienveillant, car cela reviendrait à tracer l'un des traits fondamentaux du schéma — la juste distribution du pouvoir — avant même d'avoir esquissé le schéma directeur. Le législateur doit de quelque manière être autorisé à parler pour nous tous ou, inversement, chacun de nous doit être présent et pris en compte dès le début. Il n'est pas facile de voir comment nous pourrions choisir un représentant, un fondé de pouvoir pour l'humanité. Mais si nous abandonnons la représentation et choisissons l'autre hypothèse, celle d'une présence de tous, nous produirons plus vraisemblablement une cacophonie qu'un ordre, et le résultat sera le fruit « plutôt [de] la fortune », comme l'écrit Descartes, « que [de] la volonté de quelques hommes usant de raison[7] ».

Il y a de nombreuses solutions à ce problème ; la plus connue et la plus élégante est celle de John Rawls[8]. Un avantage agréable de la solution rawlsienne réside dans le fait qu'il est indifférent que le travail constructif ou législatif soit entrepris par un seul ou par plusieurs. Privés de toute connaissance sur leur statut dans le monde social, leurs intérêts, leurs valeurs, leurs talents et leurs relations, les législateurs potentiels sont rendus identiques pour les besoins de la cause. Qu'ils se parlent entre eux ou qu'un seul se parle à lui-même ne fait plus de

---

7. *Ibid.*, p. 12.

8. RAWLS, *A Theory of Justice*, Cambridge, Mass., Harvard University Press, 1971. Trad. franç. Catherine Audard, Le Seuil, Paris, 1987.

différence : il suffit qu'une seule personne parle. D'autres solutions sont proposées, celle d'Habermas par exemple, mais qui sont plus incommodes, car elles exigent que nous imaginions des conversations effectives, mais seulement dans des circonstances soigneusement prévues pour élever le discours au-dessus du niveau de la confrontation idéologique [9]. Les participants doivent être libérés des entraves de leurs particularismes, sinon ils ne pourront jamais parvenir au résultat rationnel qu'ils exigent, c'est-à-dire un monde moral ainsi façonné que tous soient préparés à y vivre et à le penser juste, quelle que soit la place qu'ils viennent à y occuper, quelques projets qu'ils poursuivent.

Assumons la mort de Dieu ou l'absence de sens de la nature — assomptions apparemment indolores de nos jours — et alors nous pourrons dire de ces législateurs qu'ils inventent le monde moral qui aurait existé sans leur invention — si cela est possible. Ils créent ce que Dieu aurait créé s'il y avait un Dieu. Mais ce n'est pas là la seule manière de décrire ce qui peut arriver si l'on emprunte la voie de l'invention. L'analogie avec Sparte que fait Descartes suggère une perspective différente, dont je pense qu'elle est aussi celle de Rawls, et qui cor-

---

9. Habermas, *Communication and the Evolution of Society*, trad. angl. Thomas Mc Carthy, Boston, Beacon, 1979, surtout le chapitre 1. Mais il y a ici un dilemme : si les circonstances de ce que Habermas appelle acte de parole idéal ou communication non perturbée sont spécifiées, alors il n'y a qu'un nombre restreint de choses qui peuvent être dites ; et elles pourraient l'être par le philosophe lui-même, nous représentant tous. Ce n'est pas comme si nous avions réellement le choix quant aux opinions que nous allons finalement exprimer. Cf. Raymond GEUSS, *The Idea of a Critical Theory : Habermas and the Frankfort School*, Cambridge, Cambridge University Press, 1971, p. 72. Si toutefois les circonstances ne sont définies que grossièrement de telle sorte que les actes de parole idéaux ressemblent à un débat démocratique, alors les participants peuvent dire à peu près n'importe quoi et il n'y a pas de raison pour que les résultats ne s'avèrent (parfois) être « très étranges et même contraires à une bonne morale ».

respond à une version minimaliste de l'inventivité. Ce que Lycurgue a créé n'est pas la cité idéale, celle que Dieu aurait créée, mais seulement la cité idéale pour les Spartiates, l'œuvre, pour ainsi dire, d'un dieu spartiate. Je compte revenir sur cette possibilité un peu plus tard. Mais je dois d'abord envisager l'affirmation plus forte selon laquelle le monde moral inventé derrière le voile d'ignorance*, ou à travers une conversation étanche de toute idéologie, est le seul monde que nous puissions inventer, universellement habitable, un monde pour tous les hommes.

La force critique d'une morale inventée ressemble davantage à celle de la révélation divine qu'à celle de la découverte philosophique (ou encore se rapproche plus de la sagesse de l'aigle que de celle de la chouette). Le principe de différence de Rawls, pour prendre un exemple très discuté, a quelque chose de la nouveauté et de la spécificité qui caractérisent la révélation. Personne ne songerait à dire que c'était pure folie de le faire intervenir dans le débat. Le principe de différence dérive sa force du procès par lequel il a été inventé de la même manière que la loi divine dérive la sienne de son créateur. Si nous l'acceptons, c'est parce que nous avons participé, ou que nous imaginons avoir participé, à son invention. Et si nous inventons un tel principe, nous pourrions aussi bien en inventer d'autres, selon le besoin ; ou encore, nous pourrions déduire de ce premier principe tout un ensemble de normes et de règles. Bruce Ackerman, quand il discute de la justice libérale, parvient à couvrir un champ de questions en gros équivalent à cel-

* « Le voile d'ignorance » est l'artifice inventé par Rawls pour égaliser les conditions du choix d'une société juste. Chacun doit choisir en ignorant quel sera son statut dans la société future.

les couvertes par les prescriptions de l'Exode et du Deutéronome, bien que sa révélation ne soit pas destinée à une seule nation, mais à toute nation existante ou imaginable [10]. Nous créons ainsi une morale à laquelle nous pouvons confronter la vie de n'importe quelle personne et les pratiques de toute société.

Bien entendu, cela ne veut pas dire que les pratiques et les vies dont nous prenons ainsi la mesure soient sans signification morale tant que nous ne les avons pas mesurées. Elles recèlent leurs propres valeurs, mais embrouillées (du moins les philosophes de l'invention doivent-ils le croire), car leur schéma général est loin d'être parfait. Ces valeurs sont l'émanation de conversations, de discussions et de négociations politiques, dans un contexte que nous pouvons sur une longue période au mieux qualifier de social. L'enjeu d'une morale inventée est de fournir ce que Dieu et la nature ne peuvent pas apporter, un correctif universel pour la totalité des diverses morales sociales. Mais pourquoi devrions-nous nous plier à une injonction universelle ? Quelle est exactement la force critique de l'invention du philosophe — en supposant toutefois que c'est là la seule forme d'invention possible ? Je voudrais tenter de répondre à ces questions en racontant une histoire à ma manière, une histoire faite pour souligner et affûter certains traits du propos rawlsien sur la situation originelle. C'est une caricature, je le crains et j'en demande pardon à l'avance, mais les caricatures ont aussi leur utilité [11].

Imaginez donc un groupe de voyageurs de différents pays et de cultures morales différentes, parlant des lan-

---

10. ACKERMAN, *Social Justice in the Liberal State*, New Haven, Yale University Press, 1980.

11. Cette caricature est dirigée contre les épigones de Rawls plutôt que contre Rawls lui-même, qui n'accepterait sans doute pas son premier présupposé.

gues différentes, qui se rencontreraient dans un lieu neutre (par exemple, dans l'espace intersidéral). Ils doivent coopérer, au moins temporairement, et pour ce faire, chacun d'eux doit mettre en sourdine ses propres valeurs et ses propres pratiques ; et comme cette connaissance n'est pas seulement personnelle, mais aussi sociale, enveloppée dans la langue elle-même, il nous faut oblitérer leur mémoire linguistique et exiger d'eux qu'ils parlent et pensent (toujours temporairement) dans quelque volapük qui parasiterait de manière égale toutes leurs langues naturelles — un esperanto parfait. Quel principe de coopération adopteraient-ils ? Je supposerai qu'il y a une seule réponse à cette question et que le principe qu'elle contient gouverne bien leur vie commune dans l'espace commun qui est maintenant le leur. Cela paraît en effet plausible ; ce schéma directeur est bien suffisant pour notre propos. Ce qui est moins plausible, c'est que nos voyageurs rapportent ce principe chez eux quand ils s'en retourneront. Pourquoi de nouveaux principes inventés gouverneraient-ils l'existence de peuples qui partagent déjà une culture morale et parlent déjà entre eux une langue naturelle ?

Les hommes et les femmes derrière le voile d'ignorance, privés de toute connaissance concernant leur propre mode de vie, forcés de vivre avec d'autres hommes et d'autres femmes pareillement démunis, trouveront peut-être, avec on ne sait quelles difficultés, un *modus vivendi* — non pas un mode de vie, mais plutôt un mode de survie. Mais même si c'est là le seul *modus vivendi* pour eux dans ces conditions, il n'en suit pas que ce soit un arrangement ayant une valeur universelle. (Il peut, bien sûr, avoir une valeur heuristique — beaucoup de choses ont une valeur heuristique —, mais je ne souhaite pas m'engager sur cette voie maintenant.) Il semble ici y avoir une confusion : c'est comme si nous étions en train de prendre une chambre d'hôtel, un meublé ou un refuge, pour le modèle idéal de l'habitation humaine. Loin de chez nous, nous sommes reconnaissants de l'abri et des commodités que procure une chambre d'hôtel. Privés de toute connaissance quant à ce qu'était notre propre maison, parlant avec d'autres dans la même situation, tenus d'habiter des chambres dans lesquelles chacun d'entre nous serait susceptible de vivre, nous nous retrouverions sans doute dans quelque chose d'analogue à un Hilton, quoique culturellement plus indéterminé. Avec cette seule différence que nous nous interdirions les suites luxueuses ; toutes les chambres seraient exactement les mêmes ; ou bien s'il y avait des suites luxueuses, leur seule finalité serait d'accroître le travail de l'hôtel et de nous donner les moyens d'améliorer la qualité des autres chambres, en commençant par celles qui en ont le plus besoin. Mais même si ces aménagements allaient assez loin, nous garderions longtemps la nostalgie des maisons que nous saurions avoir habitées auparavant sans plus pouvoir nous en souvenir. Nous ne serions pas moralement tenus d'habiter l'hôtel dont nous avons esquissé le schéma.

J'ai supposé que ma propre vision des hôtels était largement partagée, aussi dois-je faire état d'un sentiment autre — comme cette ligne du journal de Kafka : « J'aime beaucoup les chambres d'hôtel, dans une chambre d'hôtel je suis tout de suite chez moi, plus que chez moi, vraiment [12]. » Remarquez l'ironie : il n'y a pas d'autre moyen de dire qu'on est à sa propre place que de dire : « chez moi ».

---

12. Cité par Ernst PAWEL, *The Nightmare of Reason : A Life of Franz Kafka*, New York, Farrar, Strauss and Giroux, 1984, p. 191. Trad. franç. *Franz Kafka ou le cauchemar de la raison*, traduction de Michel Chion et Jean Guiloineau, éd. Seuil, 1988, p. 201.

C'est une chose très difficile que de suggérer aux hommes et aux femmes qu'ils abandonnent le confort moral que ces mots évoquent. Mais qu'advient-il s'ils ne prisent pas ce confort ? Si leurs vies sont comme celle du K. de Kafka, ou de n'importe quel autre exilé, proscrit, réfugié ou apatride du XXe siècle ? Pour eux, les hôtels sont très importants. Ils ont besoin de la protection des chambres, d'un logement humain décent (même s'il est nu). Ils ont besoin d'une morale universelle (même si elle est minimale), ou du moins d'une morale produite au milieu d'étrangers. Ce qu'ils *veulent*, cependant, c'est ne pas être en permanence inscrits à l'hôtel, mais être établis dans une nouvelle demeure, une culture morale dense au sein de laquelle ils puissent éprouver quelque sentiment d'appartenance.

Arrêtons donc là mon histoire. Mais il y a une autre manière, plus plausible, de penser le processus de l'invention morale. Supposons que les morales (sociales) existantes comportent, comme elles prétendent le faire, des commandements divins ou des lois naturelles, ou au moins des principes moraux authentiquement valables, quelle que soit la manière dont on les comprend. Notre propos n'est dès lors plus l'invention *ex nihilo*. Il nous faut plutôt dégager les grandes lignes de cette morale existante, ou en construire un modèle, qui nous donne une vue claire et englobante de la force critique de ses propres principes, dégagée de la confusion perturbatrice découlant des préjugés et des intérêts égoïstes. Aussi ne rencontrerons-nous plus d'étrangers dans l'espace intersidéral, mais des compatriotes au sein d'un espace social ou intérieur. Nous nous référons à notre propre compréhension morale, notre conscience réflexive du principe, tout en essayant de filtrer, et même de dénuder entièrement ce principe de tout sentiment d'ambition ou d'avantages personnels. Notre méthode, une fois encore, est une méthode de soustraction épistémologique, qui fonctionne maintenant, selon Rawls, comme « procédé de présentation [13] ». Aussi abandonnons-nous toute connaissance de notre position dans la société, de nos liens et de nos engagements privés, mais cette fois-ci, pas des valeurs (comme la liberté et l'égalité) que nous partageons. Nous cherchons à décrire le monde moral dans lequel nous vivons « sans point de vue particulier » à l'intérieur de ce monde. Bien que la description soit soigneusement délimitée et que ses conditions immédiates soient extrêmement artificielles, il ne s'agit pas moins de la description de quelque chose de réel. Aussi cela ressemble-t-il davantage à la découverte philosophique qu'à la révélation divine. L'invention du philosophe consiste ici à seulement transposer la réalité morale en un type idéal.

La morale idéalisée est à l'origine une morale sociale ; elle n'est ni divine ni naturelle, sauf si nous croyons que « la voix du peuple est la voix de Dieu », ou que la nature humaine veut que nous vivions en société — et aucune de ces perspectives ne nous contraint à approuver tout ce que dit le peuple ou n'importe quel arrangement social. Le projet de modéliser ou d'idéaliser une morale existante dépend toutefois d'une reconnaissance préalable de la valeur de cette morale. Peut-être cette valeur se résume-t-elle à : « Il n'existe pas d'autre point de départ pour une réflexion morale. » Nous devons partir

---

13. RAWLS, « Justice as Fairness : Political Not Metaphysical », *Philosophy and Public Affairs*, 14.3 (1985), p. 236. Trad. franç. de Catherine Audard, « La théorie de justice comme équité : une théorie politique et non pas métaphysique », in *Individu et justice sociale*, textes réunis par C. Audard, J.-P. Dupuy et R. Sève, Paris, Le Seuil, 1988, p. 294.

d'où nous sommes. Cependant, c'est toujours là un « lieu de valeur », sinon nous ne nous serions jamais installés là. Un tel argument, me semble-t-il, a autant d'importance pour l'invention dans sa seconde version, minimaliste, que pour l'interprétation. Les philosophes de l'invention le concèdent quand ils font appel à nos intuitions, tantôt en construisant, tantôt en éprouvant leurs modèles et leurs types idéaux. L'intuition est une connaissance du monde moral préréflexive et préphilosophique ; elle ressemble au récit que pourrait faire un aveugle de l'ameublement d'une maison familière. Cette familiarité est déterminante. La philosophie morale est ici comprise comme réflexion sur le familier, réinvention de notre propre demeure.

Mais elle est toutefois une réflexion critique, une réinvention orientée : nous devons corriger nos intuitions en référence au modèle que nous construisons à partir de ces mêmes intuitions, ou plutôt corriger les plus tâtonnantes de nos intuitions en référence au modèle que nous construisons à partir de nos intuitions les plus affirmées. Nous ne cessons dans les deux cas d'osciller entre l'immédiateté morale et l'abstraction morale, entre une compréhension intuitive et une compréhension réflexive [14]. Mais que cherchons-nous donc à comprendre ? Et comment notre compréhension de cette chose, quelle qu'elle soit, acquiert-elle une force critique ? Il est clair qu'à ce point nous ne cherchons pas à comprendre la loi divine ou à saisir une morale objective ; nous ne sommes pas davantage en train de construire une cité entièrement nouvelle. Nous nous concentrons sur nous-mêmes, sur nos propres principes et nos propres valeurs

14. Cf. Norman DANIELS, « Wide Reflective Equilibrium and Theory Acceptence in Ethics », *Journal of Philosophy*, 76.5 (1979), p. 256-282.

— sinon l'intuition ne serait d'aucune aide. Or, comme c'est aussi le point sur lequel se concentrent ceux qui se sont engagés sur la voie de l'interprétation, je vais maintenant me consacrer à eux. Eux aussi affrontent d'une manière particulièrement cruciale la question de la force critique. Si l'on accorde que toute interprétation est tributaire du « texte », sera-t-il jamais possible de l'ériger en critique adéquate de ce texte ?

Le raisonnement tenu jusqu'ici peut être résumé au moyen d'une analogie. Les trois voies de la philosophie morale peuvent être en gros comparées aux trois branches du gouvernement. La découverte ressemble à l'exécutif, qui a pour tâches de déterminer la loi, de la proclamer et de la faire respecter. Cette dernière n'est pas une tâche philosophique habituelle, je l'admets, mais ceux qui pensent avoir découvert la véritable loi morale sont assez enclins à vouloir, ou, quelles que soient leurs préférences personnelles, à croire qu'ils sont eux-mêmes en charge de la faire respecter. Moïse illustre ce sens du devoir, même à contrecœur. Des auteurs irreligieux comme Machiavel l'ont appelé législateur, mais si nous nous fions au récit biblique, il n'a pas du tout légiféré ; il a reçu la loi, l'a enseignée à son peuple et s'est démené pour qu'elle soit obéie ; il fut un leader politique, certes involontaire, mais énergique, au moins à l'occasion. Le parallèle philosophique évident est le roi-philosophe de Platon, qui ne crée pas le bien, mais le trouve, et s'emploie alors, avec une répugnance analogue, à l'inscrire dans le monde. L'utilitarisme procure d'autres francs exemples de cette attitude, ainsi que le marxisme, autre exemple de découverte scientifique.

La découverte n'est pas elle-même assimilable à l'exécution ; elle se contente de tendre vers l'autorité exécutive. Quant à l'invention, elle est législatrice dès le début, car les inventeurs philosophiques investissent leurs principes de la force de la loi (morale). C'est pourquoi l'invention est l'œuvre de représentants, d'hommes et de femmes qui nous représentent dans la mesure où ils pourraient être n'importe lequel d'entre nous. Mais il y a deux sortes d'invention, auxquelles correspondent deux manières de faire la loi, et qui exigent deux formes différentes de représentation. L'invention *ex nihilo* ressemble à la législation constitutionnelle. Les législateurs, puisqu'ils ont créé un nouveau monde moral, doivent représenter tout membre possible ou potentiel, où qu'il vive et quels que soient ses valeurs et ses engagements ordinaires. La législation minimaliste ressemble en revanche davantage au travail de codification juridique. Les législateurs, codifiant ce qui existe déjà, doivent alors représenter le peuple pour lequel cela existe, c'est-à-dire un groupe d'hommes et de femmes qui partagent des institutions et se soumettent à un ensemble de principes particuliers, quelle que soit la confusion de cet ensemble.

A l'évidence, la codification est une entreprise aussi interprétative qu'inventive ou constructive : la deuxième voie se rapproche ici beaucoup de la troisième. Cependant, un code est une loi ou un système de lois, tandis qu'une interprétation est un jugement, la tâche propre du pouvoir judiciaire. L'interprétation n'affirme que cela : ni la découverte ni l'invention ne sont nécessaires, puisque nous sommes déjà en possession de ce qu'elles prétendent nous donner. La morale, à la différence de la politique, n'a pas besoin d'une autorité exécutive ni d'une législation systématique. Il n'y a pas à découvrir le monde moral puisque nous y vivons déjà et que nous y avons toujours vécu. Nous n'avons pas à l'inventer car il a déjà été inventé — quoique sans suivre aucune méthode philosophique. Aucun schéma directeur n'a présidé à son dessein, et le résultat est sans doute désordonné et incertain. Il est aussi très dense : le monde moral est un monde « habité », comme une maison occupée par une même famille depuis plusieurs générations, avec des ajouts non prévus ici ou là, et tout l'espace disponible comblé d'objets chargés de mémoire. L'ensemble, pris en totalité, se prête moins à une modélisation abstraite qu'à une description serrée. Dans un tel contexte, l'argument moral est par nature interprétatif, ressemblant étroitement au travail d'un juriste ou d'un juge qui s'efforce de dégager une signification d'un marais de lois et de précédents qui se contredisent.

Mais juges et juristes sont, pour ainsi dire, attachés au marais juridique ; c'est leur affaire que d'y trouver du sens et ils n'ont pas à en chercher ailleurs. Le marais juridique ou, mieux, le sens qu'on peut y trouver fait autorité à leurs yeux. Mais pourquoi le marais moral ferait-il autorité pour des philosophes ? Pourquoi ne chercheraient-ils pas ailleurs une autorité de meilleur aloi ? La morale que l'on découvre fait autorité parce que Dieu l'a faite ou parce qu'elle est objectivement vraie. La morale que l'on invente fait autorité car chacun voudrait l'inventer, et pourrait même l'inventer, pour autant qu'il adopte le schéma directeur adéquat et travaille à bonne distance de son soi immédiat et idiosyncrasique. Mais pourquoi cette morale existante ferait-elle autorité — cette morale dont on ne peut que constater l'existence, qui est le produit du temps, d'accidents, de forces extérieures, de compromis politiques, d'intentions particulières et faillibles ? La réponse la plus simple à cette question serait de remarquer que les morales que nous découvrons et inventons finissent toujours, et finiront toujours par ressembler remarquablement à la morale que nous avons déjà. La découverte et l'invention philosophiques (en laissant de côté la révélation divine) seraient des interprétations déguisées ; il n'y aurait en fait qu'une seule voie en philosophie morale. Je suis assez tenté d'adopter ce point de vue, quoiqu'il ne rende pas justice à l'ambition sincère ou quelquefois à la dangereuse présomption des découvreurs et des inventeurs. Mais je ne veux pas nier qu'il soit possible d'emprunter les deux premières voies, ni affirmer que ceux qui le font font en réalité quelque chose d'autre. Il y a bien des découvertes et des inventions — l'utilitarisme en est un exemple —, mais plus elles sont originales, moins elles sont à même de fournir des arguments forts ou même plausibles. L'interprétation est la voie qui rend compte de l'expérience du raisonnement moral de la manière la plus satisfaisante. Quand nous raisonnons, nous ne faisons que résumer la morale effectivement existante. Cette morale fait pour nous autorité car c'est seulement en vertu de son existence que nous existons nous-mêmes comme êtres moraux. Nos catégories, nos relations, nos engagements et nos aspirations sont tous façonnés par cette morale existante et exprimés dans ses termes. La découverte et l'invention sont des tentatives d'y échapper, dans l'espoir de trouver quelque critère externe et universel qui permette de juger de l'existence morale. Cet effort peut bien être louable, mais je ne pense pas qu'il soit nécessaire. La critique de l'existence commence, ou du moins peut commencer, à partir de principes internes à l'existence elle-même.

On peut dire que le monde moral fait pour nous autorité car il nous fournit tout ce qu'il faut pour mener une vie morale, y compris la capacité de réflexion et de critique. Sans doute certaines morales sont plus « critiques » que d'autres, mais cela ne signifie pas qu'elles soient meilleures (ni pires). C'est plutôt qu'elles procurent généralement aux protagonistes ce dont ils ont besoin. En même temps, la capacité de critique s'étend toujours au-delà des « besoins » de la structure sociale elle-même et de ses groupes dominants. Je ne cherche pas à défendre une position fonctionnaliste. Le monde moral et le monde social sont plus ou moins cohérents entre eux, sans pouvoir excéder ce plus ou ce moins. La morale est toujours potentiellement subversive pour les classes sociales et le pouvoir.

J'essaierai dans le chapitre suivant de dire pourquoi la subversion est toujours possible et comment elle procède en fait. Mais je dois tout d'abord justifier l'assertion selon laquelle le raisonnement moral est le plus souvent de nature interprétative. Cette assertion apparaît comme des plus plausibles au regard de l'analogie avec la fonction judiciaire. Car la question la plus souvent posée aux juristes et aux juges prend une forme qui invite à l'interprétation : que faut-il faire pour agir conformément à la loi et à la constitution ? Cette question fait référence à un corpus particulier de lois, ou à un texte constitutionnel singulier, et il n'y a aucune manière d'y répondre sans donner un exposé des lois ou du texte. Ni l'un ni les autres n'ont la précision d'un étalon auquel mesurer les différentes actions alléguées par les parties en contentieux. Sans cet étalon, nous nous fions à l'exégèse, au commentaire et au précédent historique, pour constituer une tradition de raisonnement et d'interprétation. Toute interprétation donnée peut bien entendu être contestée, mais il y a peu de contestations quant à ce que nous interprétons et à la nécessité d'un effort interprétatif.

Mais la question habituellement posée aux hommes et aux femmes ordinaires qui débattent de morale a une forme différente : qu'est-ce qu'il faut faire ? Et là, il n'est pas évident du tout de voir à quoi renvoie la question et comment nous allons nous y prendre pour y répondre. Il n'est pas évident que la question porte sur l'interprétation d'une morale existante particulière, car il se peut bien que cette morale, de quelque manière qu'on l'interprète, ne nous dise pas quelle est la chose à faire. Peut-être devrions-nous chercher ou inventer une meilleure morale. Mais si nous poursuivons l'argument, si nous l'écoutons, si nous en étudions la phénoménologie, nous verrons que son sujet réel est la signification de la vie morale particulière partagée par les protagonistes. La question générale sur la chose à faire devient vite une question plus précise — disons sur les carrières offertes aux talents, et donc sur l'égalité des chances, les quotas et la discrimination positive (*affirmative action*). On peut les comprendre comme des questions de droit constitutionnel, exigeant des interprétations juridiques ; mais ce sont aussi des questions morales. Elles exigent alors que nous analysions ce qu'est une carrière, quelle sorte de talents nous avons le droit de reconnaître, si l'égalité des chances est un « droit » et, si c'est le cas, quelle politique sociale cela implique. Ces questions trouvent matière à être élaborées au sein d'une tradition de discours moral — en fait, elles ne se posent qu'au sein de cette tradition — et on les élabore en interprétant les termes de ce discours[15]. Nous sommes

15. Dans une société où les enfants hériteraient des emplois et des positions sociales de leurs parents, et apprendraient d'eux en grande partie ce qui leur est nécessaire pour occuper ces emplois et ces positions sociales, les « carrières offertes aux talents » ne serait pas une idée plausible, ni même peut-être compréhensible. Réfléchir à une future carrière n'est

nous-mêmes en cause ; la signification de notre mode de vie est ici en question. La question générale à laquelle nous finissons pas répondre n'est pas tout à fait la même que celle que nous nous posions au début. Elle comporte une addition décisive : qu'est-ce qu'il *nous* faut faire ?

Il n'en est pas moins vrai qu'ordinairement la question morale se pose en termes plus généraux que la question juridique. La raison en est qu'en fait la morale est plus générale que la loi. La morale procure les interdits de base — le meurtre, la tromperie, la trahison, la cruauté flagrante — que la loi spécifie et que la police fait parfois respecter. Nous pouvons, je suppose, reculer de quelques pas, nous détacher de nos intérêts de clocher, et « découvrir » ces interdits. Mais nous pouvons aussi faire un pas en avant, pénétrer en l'occurrence dans les sous-bois de l'expérience morale, où ils sont connus de la manière la plus intime. Car ces interdits sont eux-mêmes des intérêts de clocher, c'est-à-dire les intérêts de tout groupe humain. Nous pouvons, à nouveau, suivre tel ou tel schéma directeur et « inventer » les interdits, comme nous avons pu inventer les accommodements minimaux d'un hôtel. Mais nous pouvons également étudier le processus historique effectif par lequel on en est venu à les énoncer et à les accepter, car ils ont été acceptés dans toute société humaine virtuelle.

Ces interdits représentent une sorte de code moral

---

pas une expérience humaine universelle. Mais ce n'est pas une raison pour penser que des hommes et des femmes qui n'en ont pas l'expérience ou qui ne lui accordent pas un rôle aussi central que nous-mêmes sont moralement plongés dans les ténèbres. Devrions-nous les y forcer ? (Et comment pourrions-nous le faire ?) Une différenciation sociale grandissante rendra une telle expérience envisageable, et fournira en même temps le langage moral nécessaire pour discuter de sa signification.

minimal et universel. Parce qu'ils sont minimaux et universels (je devrais dire presque universels, juste pour me protéger de la bizarrerie anthropologique), ils peuvent être dépeints comme des inventions ou des découvertes philosophiques. Une personne isolée, s'imaginant elle-même comme un étranger, détaché, sans patrie, perdu dans le monde, pourrait bien y venir aussi : ils peuvent être conçus comme le produit de la parole d'un seul. Toutefois, ils sont en fait le produit de plusieurs personnes parlant ensemble, au cours de conversations réelles, quoique toujours ébauchées, intermittentes et interrompues. Nous ferions bien de les penser non comme des interdits découverts et inventés, mais plutôt comme des interdits évolutifs, fruits de nombreuses années, d'essais et erreurs, de conventions partielles, manquées et incertaines — plutôt comme David Hume suggère qu'est intervenue l'interdiction du vol (la garantie de « la stabilité des biens »), laquelle « naît graduellement et acquiert de la force par une lente progression et par la répétition de l'expérience des inconvénients qu'il y a à la transgresser[16] ».

Toutefois, ces interdits universels esquissent à peine par eux-mêmes une morale pleinement développée et vivable. Ils procurent un cadre pour toute vie (morale) possible, mais seulement un cadre, auquel manquent tous les détails substantiels qui permettront à quiconque d'y vivre en fait, d'une manière ou d'une autre. Nous ne parvenons à une culture morale pourvue de jugements, de valeurs, capable de saisir jusqu'au détail la bonté des personnes et des choses que lorsque les conver-

---

16. HUME, *A treatise of Human Nature*, livre 3, partie 2, chap. 2. Trad. franç. de André Leroy, Aubier-Montaigne, Paris, s. d., tome 2, p. 608.

sations deviennent continues et les interprétations plus denses. On ne peut pas simplement déduire une culture morale ou, pour cette raison, un système juridique, du code minimal. Tous deux sont des spécifications et des élaborations à partir de ce code ; ils en sont des variations. Et là où la déduction aurait engendré une seule interprétation de la morale et du droit, les spécifications, élaborations et variations sont nécessairement de nature plurielle.

Je ne vois aucune manière d'éviter le pluralisme. Mais s'il devait être évité, il le serait également dans la morale et dans le droit ; en se sens, il n'y a pas de différence entre eux. Si nous avions par exemple des définitions *a priori* du meurtre, de la tromperie et de la trahison, alors les spécifications morales et juridiques pourraient prendre la forme d'une série d'étapes déductives avec une fin nécessaire. Mais nous n'avons pas de telles définitions, aussi dans les deux cas sommes-nous dépendants de significations socialement créées. La forme de la question morale est générale car elle renvoie également au code minimal et aux significations sociales, tandis que la question juridique est plus spécifique et concerne seulement les significations sociales codifiées par le droit. Mais pour répondre à la première comme à la seconde question, notre méthode ne peut être qu'interprétative. Il n'y a rien d'autre à faire car le code minimal, par lui-même, ne répond à aucune de ces deux questions.

L'énoncé selon lequel il n'y a rien d'autre à faire est un énoncé plus fort que celui par lequel j'ai commencé. Nous pouvons toujours, je suppose, découvrir et inventer une morale neuve et pleinement développée. Elle aura en effet besoin d'être pleinement développée si elle doit parvenir à l'idée particulière de la vie humaine, historiquement située, qu'est par exemple une carrière.

Mais nous pouvons pourtant être tentés par l'invention ou la découverte quand nous voyons à quel point l'entreprise interprétative s'éternise, sans jamais atteindre de conclusion définitive. Bien entendu, la découverte et l'invention ne procurent pas non plus de conclusions définitives, et il est intéressant de s'attarder un moment sur les raisons de cet échec. Elles échouent en partie parce qu'il y a un nombre infini de découvertes et d'inventions possibles, et une succession sans fin de découvreurs et d'inventeurs passionnés. Mais elles échouent aussi parce que l'acceptation au sein d'un groupe d'une invention ou d'une découverte particulière donne immédiatement lieu à une levée d'analyses sur la signification de ce qui a été accepté. Une simple maxime : toute découverte et toute invention (la loi divine en est un magnifique exemple) exige une interprétation.

On pourrait répondre que, certes, c'est tout à fait exact, et que cela explique pourquoi les analyses morales prennent d'habitude la forme d'interprétations. L'interprétation a sa place et son importance, mais seulement dans les périodes de « morale normale » — lesquelles sont aussi besogneuses que les périodes de science normale décrites par Thomas Kuhn — c'est-à-dire entre les périodes révolutionnaires de changement de paradigme, qui sont celles de l'invention et de la découverte[17]. Au regard de la morale, toutefois, cette façon de voir est plus mélodramatique que réellement historique. Il y a bien sûr eu des découvertes et des inventions historiquement décisives ; de nouveaux mondes, la force de gravité, les ondes électromagnétiques, le pou-

17. KUHN, *The Structure of Scientific Revolutions*, Chicago, University of Chicago Press, 1962. Trad. franç. de Laure Meyer, *La Structure des révolutions scientifiques*, Flammarion, rééd. coll. « Champs », Paris, 1983.

voir de l'atome, l'imprimerie, la machine à vapeur, l'ordinateur, les méthodes de contraception. Tout cela a transformé notre manière de vivre et de penser notre mode de vie. Mieux, cela a aussi affecté la force et le caractère abrupt de la révélation, comme pouvait encore l'exprimer le philosophe juif médiéval Judah Halevi, à propos de la religion : « Une religion d'origine divine s'élève tout à coup. Elle est appelée à s'élever et elle est là [18]. » Pouvons-nous trouver quelque chose comme cela dans l'expérience morale (séculière) ? Le principe d'utilité ? Les droits de l'homme ? Peut-être. Mais les transformations morales semblent arriver beaucoup plus lentement, et de manière moins décidément irréversible que les transformations scientifiques et technologiques ; elles ne sont pas non plus de nature aussi progressiste que ne le sont probablement le progrès des connaissances ou l'extension des pouvoirs de l'homme. Pour autant que l'on puisse reconnaître un progrès moral, il a moins à faire avec la découverte ou l'invention de nouveaux principes qu'avec l'extension des vieux principes à des hommes et des femmes qui en étaient auparavant exclus. Et c'est plus une question de critique sociale (besogneuse) et de lutte politique que de spéculation philosophique (et de changement de paradigme).

Les découvertes et inventions à même d'être intégrées à nos analyses morales (en ignorant pour l'instant les découvertes et inventions qui sont imposées par la force) ne sont pas à même d'avoir des effets définitifs sur ces analyses. Nous pouvons en avoir une idée en regardant le corpus de littérature qui s'est déjà développé autour

18. HALEVI, *The Kuzari*, trad. américaine de Hartwig Hirschfeld, New York, Schocken, 1974, p. 58.

du principe de différence de Rawls, dont l'essentiel se concentre sur la question de l'égalité : à quel point celui-ci sera-t-il en fait égalitaire dans ses effets ? Et alors à quel point était-il censé être égalitaire ? A quel point devrait-il l'être ? En laissant de côté la question plus profonde, si le principe de différence est une invention au sens fort ou au sens faible, ou même s'il est en soi une interprétation ou une mésinterprétation de notre morale existante. Quel qu'il soit, il pose des questions pour lesquelles il n'y a pas de réponses définitives et finales. Le principe de différence peut être apparu « tout d'un coup », mais il n'est pas « là » tout simplement.

Il y a toutefois de bonnes et de moins bonnes réponses à ces questions ; certaines des meilleures vont se greffer sur le principe lui-même et vont devenir à leur tour objets d'interprétations. Comment pouvons-nous reconnaître les meilleures réponses ? On avance parfois contre la méthode interprétative en philosophie morale qu'on ne saurait se mettre d'accord sur les meilleures interprétations sans l'aide d'une théorie morale correcte[19]. Mais dans le cas que j'imagine maintenant, celui du principe de différence, nous sommes conduits à l'interprétation parce que nous divergeons déjà sur le sens de ce qui peut prétendre à être une bonne théorie morale, ou sur ce que certains lecteurs peuvent tenir comme telle. Il n'y a aucune manière d'en finir définitivement avec ce différend. Mais la meilleure lecture du principe de différence serait celle qui le mettrait en cohérence avec d'autres valeurs américaines — l'égalité de

19. Telle est l'objection de Ronald Dworkin à mon livre *Spheres of Justice*, New York, Basic Books. Cf. son article « To Each His Own », *New York Review of Books*, 14 avril 1983, p. 4-6 ; et l'échange qui s'ensuivit, *New York Review of Books*, 21 juillet 1983, p. 43-46.

la protection, l'égalité des chances, la liberté politique, l'individualisme — et qui le relierait à une vision réaliste des incitations matérielles et des exigences de la productivité. Nous disputerions sur la meilleure lecture en sachant en gros ce que nous cherchons et nous n'aurions pas de mal à exclure un grand nombre de lectures inadéquates ou erronées.

On peut en ce point trouver de l'aide en comparant ma propre compréhension de l'interprétation avec ce que propose Michael Oakeshott en parlant de « suivre des injonctions ». Son entreprise est, à n'en pas douter, une tentative d'interprétation, mais qui est passablement limitée par le fait que Oakeshott est à même de suivre les injonctions des « traditions de comportement » et des arrangements de la vie sociale quotidienne, sans aucune référence aux « concepts généraux » (comme la liberté ou l'égalité, ou, pour cette même raison, le principe de différence). Les références communément partagées par un peuple sont toutefois souvent exprimées en termes de concepts généraux — dans ses idéaux historiques, sa rhétorique publique, ses textes fondateurs, ses cérémonies et ses rituels. Ce n'est pas seulement ce que les gens font qui constitue une culture morale, mais aussi la manière dont ils expliquent et justifient ce qu'ils font, les histoires qu'ils racontent, les principes qu'ils invoquent. Pour cette raison, les cultures sont accessibles à la possibilité de contradictions (entre les principes et les pratiques) autant qu'à ce que Oakeshott appelle « incohérence » (entre les pratiques quotidiennes). Aussi n'est-il pas toujours possible de donner à l'interprétation la forme qu'il préfère : « une conversation et non une analyse ». Oakeshott a raison du souligner « qu'il n'y a pas d'appareil à détecter l'erreur au moyen duquel nous pourrions mettre en lumière les injonctions qu'il vaut mieux la peine de suivre[20] ». Certes, il n'y en a pas, mais cela ne veut pas dire que cette soumission ne soit pas (n'ait pas été) bien plus aventureuse qu'il ne l'autorise. Et au cours de l'aventure, les conversations se convertissent naturellement en analyses.

L'interprétation ne nous ramène pas à une lecture positiviste de la morale existant en fait, à une description des faits moraux comme s'ils étaient immédiatement accessibles à notre entendement. Il y a des faits moraux de ce type, mais les domaines les plus intéressants du monde moral ne sont qu'en principe des questions de fait ; dans la pratique, ils ont besoin d'être « lus », traduits, construits, commentés, élucidés et pas simplement décrits. Nous sommes tous impliqués dans ce genre de tâches : nous sommes tous les interprètes de la morale que nous partageons. Cela ne veut pas dire que la meilleure interprétation soit la somme de toutes les autres, le résultat d'une partie complexe d'un programme de recherche — pas plus que la meilleure lecture d'un poème n'est une métalecture, rassemblant les réponses de tous les lecteurs effectifs. La meilleure lecture n'est pas différente des autres en nature, mais en qualité : elle éclaire le poème d'une manière plus puissante et plus convaincante. Peut-être la meilleure lecture est-elle une nouvelle lecture, qui s'empare de quelque symbole ou de quelque trope auparavant mésinterprétés et réexplique le poème entier. Nous sommes dans le même cas avec l'interprétation morale : elle confirmera parfois et parfois défiera l'opinion reçue. Et si nous sommes en désaccord tant avec cette confirmation qu'avec ce défi, il n'y a pas d'autre recours que le recours au

20. OAKESHOTT, *Rationalism in Politics*, New York, Basic Books, 1962, p. 123-125.

« texte » — les valeurs, les principes, les codes et les conventions qui constituent le monde moral — et aux « lecteurs » de ce texte.

Je suppose que les lecteurs sont l'autorité effective : nous retenons nos interprétations en attendant leur approbation[21]. Mais la question n'est pas close s'ils ne nous approuvent pas. Car les lecteurs sont aussi des relecteurs qui peuvent changer d'avis ; en outre, la population des lecteurs change elle aussi. Nous pouvons toujours renouveler notre argument. Je ne peux mieux expliquer cet argument que ne le fait une histoire talmudique, le Talmud étant une collection d'interprétations, de nature à la fois morales et juridiques. L'arrière-fond de cette histoire est un texte du Deutéronome, 30, 11-14 :

« Car cette Loi que je te prescris aujourd'hui n'est pas au-delà de tes moyens ni hors de ton atteinte. Elle n'est pas dans les cieux, qu'il te faille dire : ''Qui montera pour nous aux cieux nous la chercher, que nous l'entendions pour la mettre en pratique ?'' Elle n'est pas au-delà des mers, qu'il te faille dire : ''Qui ira pour nous au-delà des mers nous la chercher, que nous l'entendions pour la mettre en pratique ?'' Car la parole est tout près de toi, elle est dans ta bouche et dans ton cœur

21. J'entends lecteurs au sens le plus large, et pas seulement les autres interprètes, les professionnels et les adeptes d'un genre ou d'un autre, les membres de ce qu'on a appelé la communauté interprétative. Quoique ce soient peut-être là les lecteurs les plus scrupuleux, ils n'en forment pas moins un public intermédiaire. L'interprétation d'une culture morale est le fait de tous les hommes et de toutes les femmes qui participent de cette culture — membres de ce qu'on pourrait appeler une communauté d'expérience. C'est un signe nécessaire, quoique non suffisant, de la réussite d'une interprétation que de telles personnes soient capables de s'y reconnaître. Cf. aussi GEUSS, *Idea of a Critical Theory*, *op. cit.* p. 64-65.

pour que tu la mettes en pratique. » (Trad. Bible de Jérusalem.)

Je ne vais pas citer l'histoire elle-même, mais la raconter à mon tour, car les histoires de ce genre doivent être racontées et non récitées[22]. L'histoire met en scène une dispute entre plusieurs sages ; le sujet de cette dispute est indifférent. Rabbi Eliezer, seul contre tous, minorité réduite à lui-même, a épuisé tous les arguments imaginables sans parvenir à convaincre ses collègues. Exaspéré, il en appelle à l'aide de Dieu : « Si la loi est bien ce que je dis, que ce caroubier le prouve. » Là-dessus, le caroubier est enlevé de cent coudées en l'air — d'autres disent de quatre cents coudées. Rabbi Joshua parle pour la majorité : « Un caroubier ne fait pas une preuve. » Alors Rabbi Eliezer dit : « Si la loi est bien ce que je dis, que ce cours d'eau le prouve. » Et le cours d'eau se mit immédiatement à remonter vers sa source. Mais Rabbi Joshua dit : « Aucune preuve ne peut être tirée d'un cours d'eau. » A nouveau, Rabbi Eliezer dit : « Si la loi est ce que je dis, que les murs de cette yeshiva le prouvent. » Et les murs commencèrent à s'ébranler. Mais Rabbi Joshua réprimanda les murs, leur disant qu'ils n'avaient pas à s'immiscer dans une dispute de savants : ils cessèrent alors de tomber, et depuis ce jour ils tiennent debout, quoique fortement penchés. Alors Rabbi Eliezer en appela à Dieu lui-même : « Si la loi est bien ce que je dis, que le ciel le prouve. » Aussitôt une voix s'éleva et cria : « Pourquoi donc contestez-vous Rabbi Eliezer ? En toutes choses, la loi est bien comme il le dit. » Mais Rabbi Joshua se leva et s'exclama : « Elle n'est pas dans le ciel. »

---

22. Baba Metzia 59b. Cf. aussi Gershom SCHOLEM, *The Messianic Idea in Judaism*, New York, Schocken, 1971, p. 282-303. Trad. franç. Bernard Dupuy, *Le Messianisme juif*, Calmann-Lévy, 1974, p. 409-410.

En d'autres termes, la morale est quelque chose dont il nous faut débattre. L'argumentation implique une possession commune, mais cette possession commune n'est pas un consensus. Il y a une tradition, un corps de connaissances morales ; et il y a ces sages qui discutent. Il n'y a rien d'autre. Aucune découverte ni aucune invention ne peuvent venir à bout de l'argumentation ; aucune « preuve » ne peut l'emporter sur la majorité (temporaire) des sages[23]. Telle est la signification du : « Elle n'est pas dans le ciel. » Nous avons à poursuivre l'argumentation : c'est peut-être pour cette raison que l'histoire ne nous dit pas lequel, de Rabbi Eliezer ou de Rabbi Joshua avait raison sur le fond de l'affaire. Sur la procédure toutefois, Rabbi Joshua avait tout à fait raison. La question maintenant est de savoir si Rabbi Joshua, qui abandonne la révélation, et ses descendants, qui ont abandonné la découverte et l'invention, peuvent toujours dire quelque chose d'utile, c'est-à-dire quelque chose de critique, sur le monde réel.

---

23. Cf. un commentaire misdrahique du psaume 12, 7 (« Les paroles du Seigneur sont d'argent, raffinées sept fois sept fois ») : « Rabbi Yannai dit : les paroles de la Torah ne furent pas données comme des décisions tranchées. Car avec chaque mot qu'Il donna à Moïse, le Très Haut, loué soit-Il, lui proposa quarante-neuf arguments qui prouvent qu'une chose est bonne et quarante-neuf autres arguments qui prouvent qu'elle est mauvaise. Quand Moïse demanda : Maître de l'univers, comment connaîtrons-nous le véritable sens d'une loi ? Dieu répondit : il faut suivre la majorité. » La majorité ne prend pas de décisions arbitraires ; ses membres recherchent le meilleur des quatre-vingt-huit arguments. *The Misdrash on Psalms*, trad. William G. Braude, New Haven, Yale University Press, 1959, I, p. 173.

2.
L'exercice de la critique sociale

La critique sociale est une activité si commune — tant de personnes s'y livrent d'une manière ou d'une autre — que nous présumons intuitivement qu'elle ne nécessite pas de découverte ou d'invention philosophiques. L'expression « critique sociale » elle-même n'est pas assimilable à l'expression « critique littéraire », dans laquelle l'adjectif ne nous renseigne que sur l'objet de l'activité. L'adjectif « sociale » nous apprend aussi quelque chose sur le sujet d'une telle entreprise. La critique sociale est bien une activité sociale. A la manière du préfixe « auto » dans « autocritique », qui désigne à la fois le sujet et l'objet, « sociale » a une fonction pronominale et réflexive. Bien sûr, les sociétés ne se critiquent pas elles-mêmes ; les critiques de la société sont des individus, mais qui en sont membres la plupart du temps, et s'adressent publiquement à d'autres membres de cette société ; ceux-ci se joignent au débat et ces discours aboutissent à une réflexion collective sur les conditions de la vie collective.

C'est là une définition expresse de la critique sociale.

Je n'entends pas soutenir qu'elle est la seule possible ou la seule correcte, mais seulement que dans une série de définitions, à l'image de celles que l'on rencontre dans le dictionnaire, elle devrait venir en premier. On pourrait m'opposer l'opinion selon laquelle la « réflexion interne à la société » ne mérite en aucun cas de figurer dans cette série. Car comment peut-elle être une forme de réflexion satisfaisante ? Les conditions de la vie collective — immédiateté, proximité, attachement affectif, esprit de clocher — ne vont-elles pas à l'encontre d'une auto-analyse critique ? Lorsqu'on dit « mon pays », en mettant l'accent sur l'adjectif possessif, n'est-on pas enclin à ajouter « qu'il ait tort ou raison » ? Le célèbre toast porté par Stephen Decatur (« *my country, right or wrong* ») est souvent pris pour exemple d'un type d'engagement qui exclut toute velléité critique. Il n'en est rien, bien sûr, dans la mesure où il est toujours possible de dire à la société qu'elle a tort comme le fit Carl Schurz à la tribune du Sénat américain en 1872 : « C'est notre pays, qu'il ait tort ou raison ! S'il a raison, poursuivons ; s'il a tort, redressons-le ! » Si notre pays se conduit mal, il reste notre pays et peut-être en concevons-nous une obligation particulière, celle de critiquer sa politique. Toutefois l'adjectif possessif reste un problème. Plus nous nous identifions à notre pays, plus il nous est difficile de reconnaître ses torts et de les avouer. Pour avoir une attitude critique, il faut bénéficier d'une distance critique.

Cependant, il n'est pas évident de mesurer la bonne distance critique. Où devons-nous nous tenir pour être un critique de la société ? L'opinion conventionnelle veut que l'on se tienne à l'écart des circonstances communes de la vie collective. La critique est une activité extérieure ; c'est un détachement radical qui la rend possible — et ce dans deux domaines. Tout d'abord, le critique doit faire preuve de détachement affectif, s'arracher à la douceur et à l'intimité de l'appartenance sociale : le critique doit être libéré des intérêts et des passions. Ensuite, il doit faire preuve de détachement intellectuel, s'arracher aux lieux communs admis dans la société (qui tiennent le plus souvent de l'autocongratulation) : le critique doit avoir l'esprit ouvert et être objectif. Cette vision du critique est renforcée par le fait qu'elle s'adapte parfaitement aux conditions de la découverte et de l'invention philosophiques, et semble ainsi suggérer que seuls les découvreurs et les inventeurs, ou les hommes et les femmes disposant des outils que ceux-ci ont forgés peuvent être à proprement parler des critiques.

Ce détachement radical a un mérite supplémentaire qui est loin d'être insignifiant : il transforme le critique en héros. Car s'arracher ainsi à tout lien affectif ou intellectuel est une entreprise délicate (bien que plus difficile dans certaines sociétés que dans d'autres). Marcher « seul... et dans l'obscurité » peut être tenu pour effrayant, même si l'on est en route vers les lumières. Conquérir une distance critique est un exploit, qui se paie de la perte du confort et de la solidarité d'autrui. Il faut toutefois faire remarquer que la difficulté de parvenir à une position suffisamment détachée est compensée par la facilité avec laquelle la critique peut se développer quand on y est installé.

Vous ne serez pas surpris d'apprendre que je ne pense pas qu'un détachement radical soit une condition nécessaire à la critique sociale, ni même à une critique sociale radicale. Il suffit de se reporter à la série de ceux qui pratiquèrent la critique, depuis les prophètes d'Israël, pour se rendre compte qu'il caractérise bien peu d'entre eux. Cette description du critique est devenue classique en partie à cause d'une confusion entre détachement et marginalité. Les prophètes ne furent pas eux-mêmes des marginaux, mais beaucoup de leurs successeurs le furent. La marginalité a souvent été une condition motivant le critique et caractérisant son ton et son apparence extérieure. Néanmoins, elle n'est pas une condition qui favorise l'absence d'intérêt ou de passion, l'ouverture d'esprit ou l'objectivité. Les marginaux ressemblent à l'étranger de Georg Simmel : ils sont dans la société sans y appartenir totalement[1]. Les difficultés qu'ils éprouvent ne sont pas celles du détachement, mais celles afférentes à un lien ambigu. Qu'ils soient libérés de ces difficultés, et il est bien possible qu'ils perdent toute velléité de critique sociale. Ou alors la critique sera très différente qu'elle ne l'est lorsqu'elle est conduite en marge de la société par des « intellectuels aliénés », des membres des classes inférieures ou des minorités opprimées, ou même des proscrits et des parias. Il nous faut maintenant imaginer non un critique marginal, mais un critique détaché de sa propre marginalité. Il peut bien continuer à critiquer toute société qui rejette sur ses marges des groupes d'hommes et de femmes (ou bien il se peut qu'il ne le fasse pas, remarquant que les marges sont souvent un creuset d'activités créatrices). Mais sa propre marginalité, s'il s'en souvient, constituera seulement un prisme déformant, sapant ses capacités de juger objectivement. Il en sera de même pour son intégration et son engagement aux côtés des dirigeants de la société, si tel est le cas. Le détachement se tient à une exacte distance de la marginalité comme de l'intégration : il est libéré des tensions qui réunissent les deux autres.

---

1. *The Sociology of Georg Simmel*, trad. et édité par Kurt H. Wolff, New York, Free Press, 1950, p. 402-408.

La perspective conventionnelle ne se représente pas le critique comme un vrai marginal ; il est — il s'en est donné le visage — un *outsider*, un spectateur, un « étranger complet », un martien. Il tire de la distance qu'il établit une sorte d'autorité critique. Nous pourrions le comparer à un juge impérial dans une colonie arriérée. Il se tient à l'écart, dans un lieu privilégié, où il a accès à des principes « avancés » ou universels, qu'il applique avec une rigueur (intellectuelle) impersonnelle. Il n'a pas d'autre intérêt dans la colonie que de l'amener à la barre de la justice. Je présume qu'on peut lui faire crédit de sa bienveillance ; il veut du bien aux indigènes. En fait, pour serrer davantage l'analogie, il est lui-même un indigène — un des Chinois de la reine, par exemple, ou bien un Indien occidentalisé et anglophile, ou un marxiste parisien qui se découvre algérien. Il a fait ses études au centre de l'empire, disons à Paris ou à Oxford, et il a rompu radicalement avec son propre provincialisme. Il aurait préféré rester à Paris ou à Oxford, mais, n'écoutant que son devoir, il est revenu au pays afin de critiquer les coutumes locales. Un personnage sans doute très utile, mais qui n'est ni le seul ni le meilleur modèle du critique de la société.

Je souhaite proposer un autre modèle, sans vouloir bannir l'étranger sans passions ou l'indigène acculturé. Ils ont leur place dans l'histoire de la critique, mais seulement aux côtés et à l'ombre de quelqu'un d'assez différent et de plus familier : le juge local, le critique lié à la société, qui gagne son autorité, ou la perd, en discutant avec ses concitoyens, qui avec colère et insistance, parfois au prix de risques personnels considérables (lui aussi peut être un héros), objecte, proteste et reproche. Ce critique est l'un d'entre nous. Il a peut-être voyagé et étudié à l'étranger, mais il s'inspire de principes locaux ou appliqués localement ; s'il a collecté des idées nouvelles au cours de ses voyages, il essaie de les relier à la culture locale, se fondant sur la connaissance intime qu'il en a ; il ne fait pas preuve de détachement intellectuel. Ni non plus affectif : il ne veut pas du bien aux indigènes, il souhaite le succès de leur entreprise commune. Tel est le style d'Alexander Herzen parmi les Russes du XIXe siècle (malgré son long exil hors de Russie), d'Ahad Ha-am parmi les juifs d'Europe de l'Est, de Gandhi en Inde, de Tawney et Orwell en Grande-Bretagne. Pour eux, la critique sociale est un débat interne. L'*outsider* peut devenir un critique *social* à la condition de s'insérer à l'intérieur de la société, d'entrer en imagination dans ses pratiques et ses coutumes locales. Mais ces critiques sont déjà à l'intérieur. Ils ne voient aucun avantage à un détachement radical. Ils peuvent feindre un tel détachement, si cela sert leur propos, et faire mine d'observer leur propre société à travers les yeux d'un étranger — comme Montesquieu à travers les yeux d'Usbek. Mais c'est Montesquieu, le Français bien intégré, qui est le critique social, et non Usbek. La naïveté persane sert de masque à la sophistication française.

Cette autre description convient à la grande majorité des hommes et des femmes que l'on peut, à bon droit, appeler critiques sociaux. Mais elle n'est pas philosophiquement respectable. Je chercherai à en défendre la respectabilité en répondant à deux soucis légitimes à propos du critique lié à la société. Ce lien lui laisse-t-il suffisamment de place pour la distance critique ? Et peut-il disposer de critères qui soient à la fois internes aux pratiques et au sens de sa propre société et néanmoins appropriés à la critique ?

Je répondrai d'abord à la seconde question. La critique sociale doit être comprise comme l'un des sous-produits les plus importants d'une activité plus vaste — appelons-la activité d'élaboration culturelle et d'affirmation de valeurs culturelles. Tel est le travail des prêtres et des prophètes ; des enseignants et des sages ; des conteurs, poètes, historiens et en général des écrivains. Dès que ces personnages existent, existe aussi la possibilité de la critique. Ce n'est pas qu'ils constituent une « nouvelle classe » vouée à la subversion permanente, ni qu'ils soient les hérauts d'une « contre-culture ». Ils sont les vecteurs de la culture commune ; comme le prétend Marx, ils assument (entre autres choses) le travail intellectuel de la classe dominante. Mais tant qu'ils font du travail *intellectuel*, ils ouvrent la voie à la pratique antagoniste de la critique sociale.

Le raisonnement que Marx a pour la première fois élaboré dans *L'Idéologie allemande* peut ici nous être utile. La critique sociale marxiste a pour fondement une grande découverte — une vision « scientifique » de la fin de l'histoire. Mais cette vision n'est possible que parce que la fin de l'histoire est à portée de main, et que ses principes apparaissent déjà dans la société bourgeoise. Dans d'autres sociétés, la critique a eu pour fondement d'autres visions et d'autres principes, et le marxisme a le projet non seulement de rendre compte de sa propre critique, mais aussi d'une façon générale de toutes les autres. Selon lui, c'est le fait que chaque classe dirigeante soit conduite à se présenter elle-même comme classe universelle qui rend la critique possible à tout moment [2]. Cette pure autoprésentation ne comporte aucune légi-

---

2. MARX et ENGELS, *The German Ideology*, ed. R. Pascal, New York, International Publishers, 1947, p. 40-41. Trad. franç. sous la dir. de G. Badia, Éd. Sociales, Paris, 1968, p. 62 : « Toute classe qui aspire à la domination [...] doit conquérir d'abord le pouvoir politique pour représenter à son tour son intérêt propre comme étant l'intérêt universel [...] ».

timité. Pris au piège de la lutte des classes, essayant de déterminer quelles victoires sont possibles, les dirigeants n'en proclament pas moins qu'ils se tiennent au-dessus de la mêlée, gardiens de l'intérêt général dont le véritable but n'est pas la victoire, mais la transcendance. Cette autoprésentation des dirigeants est effectuée par les intellectuels. Leur œuvre est apologétique, mais ce type d'apologie donne des armes aux futurs critiques sociaux. Elle fixe des normes auxquelles les dirigeants ne se conformeront pas, ne peuvent pas se conformer, étant donné la nature particulière de leurs ambitions. On pourrait dire que ces normes elles-mêmes incarnent les intérêts de la classe dirigeante, mais elles ne le font que sous un déguisement universaliste. Aussi incarnent-elles également les intérêts des classes inférieures, car sinon le déguisement ne serait pas convaincant. L'idéologie tend toujours vers l'universalité qui est une condition de son succès.

Le marxiste italien Antonio Gramsci propose une analyse sommaire, mais intéressante de cette double incarnation. Selon lui, toute culture hégémonique est une construction politique complexe. Les intellectuels qui la mettent en forme sont armés de plumes et non de glaives ; ils doivent défendre leurs idées parmi des hommes et des femmes qui ont aussi leurs propres idées. « Le fait de l'hégémonie, prétend Gramsci, présuppose que l'on tienne compte des intérêts et des inclinations des groupes sur lesquels elle sera exercée, et présuppose aussi un certain équilibre entre groupes sociaux, ce qui implique que les groupes hégémoniques feront des sacrifices de nature corporative[3]. » A cause

3. Cité par Chantal MOUFFE, « Hegemony and Ideology in Gramsci », *in* MOUFFE ed., *Gramsci and Marxist Theory*, Londres, Routledge and Kegan Paul, 1979, p. 181. Cf. Antonio GRAMSCI, *Quaderni del carcere*, vol. 1, ed. Valentino Gerratana, Turin, Einaudi, 1975, p. 461.

de ces sacrifices, les idées dominantes recèlent des contradictions, ce qui permettra à la critique de toujours trouver un point de départ à l'intérieur de la culture dominante. L'idéologie des classes supérieures porte en elle des possibilités dangereuses. Le compagnon de Parti de Gramsci, Ignazio Silone, décrit l'origine de la critique radicale et de la politique révolutionnaire dans les mêmes termes. Nous commençons, écrit-il, « par prendre au sérieux les principes que nous enseignent nos éducateurs et nos professeurs. On proclame que ces principes sont au fondement de la société actuelle, mais si on les prend au sérieux et que l'on juge à leur aune l'organisation de la société [...] aujourd'hui, il est évident qu'il existe une contradiction totale entre les deux. En pratique, notre société ignore totalement ces principes [...]. Mais ils sont pour nous quelque chose de sérieux et de sacré [...] le fondement de notre vie intérieure. La manière dont la société les charcute, s'en sert comme d'un masque et d'un outil pour tromper et gruger le peuple nous remplit d'indignation et de colère. C'est ainsi que l'on devient révolutionnaire[4] ».

Pour sa part, Gramsci décrit un processus plus complexe, sans apparemment être motivé par l'indignation ; son point de départ est cependant le même. Les critiques radicaux sont à l'origine, dit-il, « d'un processus de différenciation et d'un changement dans le poids relatif des divers éléments qui composaient les anciennes idéologies. Ce qui était auparavant secondaire et en position de subordination [...] est maintenant au pre-

4. SILONE, *Bread and Wine*, trad. Gwenda David et Eric Mosbacher, New York, Harper and Brothers, 1937, p. 157-158. L'itinéraire de Silone suggère que l'on cesse d'être révolutionnaire de la même manière, en comparant le credo du parti révolutionnaire à sa pratique effective.

mier plan, et devient le noyau d'un nouvel ensemble idéologique et politique[5] ». Ainsi les nouvelles idéologies dérivent des anciennes par le biais de l'interprétation et de la révision. Examinons un exemple concret.

Considérons la place de l'égalité dans la pensée bourgeoise, puis dans la pensée critique postérieure. Conçue en termes marxistes comme le credo des classes moyennes triomphantes, l'égalité a une signification étroitement limitée. Elle renvoie, chez les révolutionnaires français par exemple, à l'égalité devant la loi, aux carrières ouvertes aux talents, etc. Elle décrit (et occulte en même temps) les conditions de la compétition pour la richesse et les positions sociales. Les critiques radicaux se délectent d'en « exposer » les limites : elle garantit à tous les hommes et à toutes les femmes, comme l'écrit Anatole France, un droit égal à dormir sous les ponts de Paris. Mais le terme a des significations plus larges — il serait moins utile si tel n'était pas le cas — subordonnées à l'idéologie dominante, certes, mais qui n'en sont jamais exclues. Ces significations plus larges sont de nature « concessive » pour parler en termes gramsciens ; c'est avec elles ou à travers elles que les classes moyennes s'adressent aux aspirations des classes inférieures. Nous sommes tous ici citoyens, proclament-elles ; personne n'est mieux que les autres. Mon intention n'est pas de sous-estimer la sincérité du propos, au moins de

5. GRAMSCI, *Selections from the Prison Notebooks*, ed. et trad. Quinton Hoare et Geoffrey Nowell Smith, New York, International Publishers, 1971, p. 195. A. GRAMSCI, *op. cit.*, vol. 2, p. 1058. La même remarque peut être faite à propos du credo bourgeois lui-même. Ainsi Alexis de Tocqueville dit-il des radicaux de 1789 « qu'à leur insu ils avaient retenu de l'ancien régime la plupart des sentiments, des habitudes, des idées même à l'aide desquels ils avaient conduit la Révolution qui le détruisit. « *L'Ancien régime et la Révolution, Œuvres Complètes*, t. 2, vol. 1, Gallimard, 1952, p. 69.

certains de ceux qui le tiennent. S'ils n'étaient pas sincères, la critique sociale aurait moins de mordant qu'elle n'en a. Le critique exploite les significations les plus larges de l'égalité, dont l'expérience quotidienne offre davantage une parodie qu'un reflet. Il condamne la pratique capitaliste en prenant appui sur l'un des concepts clés qui ont permis de justifier le capitalisme à l'origine. Il montre aux dirigeants les tableaux idylliques peints par leurs artistes, puis la réalité vécue du pouvoir et de l'oppression. Ou, mieux, il interprète les tableaux et la réalité, car ni les uns ni l'autre ne se révèlent directement. L'égalité est le cri de ralliement de la bourgeoisie ; l'égalité réinterprétée est (dans la version de Gramsci) le cri de ralliement du prolétariat.

Il reste tout à fait possible, bien entendu, que cette réinterprétation opérée par le critique ne soit pas acceptée. La majorité des ouvriers est peut-être persuadée que l'égalité réalisée dans la société capitaliste est la véritable égalité, ou encore qu'elle est suffisante. Les marxistes qualifient de « fausse conscience » de telles croyances, car ils postulent que l'égalité a une seule signification vraie, sinon pour nous tous, du moins pour les ouvriers, à savoir celle qui correspond à leurs intérêts « objectifs ». Je doute que cette thèse puisse être défendue de manière satisfaisante. Les travailleurs peuvent certes commettre des erreurs dans l'évaluation de leur situation de fait, comme sur l'ampleur effective de la hiérarchie des salaires ou les chances véritables d'ascension sociale. Mais comment pourraient-ils se tromper sur la valeur et la signification de l'égalité dans leurs propres vies ? La critique dépend ici moins de la véracité (ou de la fausseté) d'un jugement portant sur l'état du monde que du pouvoir d'évocation (ou de l'absence d'un tel pouvoir) d'une idée commune. Le débat porte sur la signification et l'expérience ; les termes en sont fixés par un cadre socio-économique aussi bien que culturel.

Mais tous les débats ne sont pas des débats internes de ce type. Imaginez le critique social en marxiste militant ou en prédicateur chrétien arrivant (comme mon juge impérial) dans un pays étranger. Là, il rencontre des indigènes dont il pense que la conception du monde ou de la place qu'ils occupent dans le monde est fondamentalement erronée. Il mesure cette erreur à un critère complètement extérieur, qu'il a, comme il se doit, amené dans ses bagages. S'il défie les pratiques locales, ce sera dans des termes qui sembleront largement incompréhensibles aux indigènes, du moins dans un premier temps. La compréhension doit ici attendre la conversion, et la première tâche du nouvel arrivant sera une tâche missionnaire : leur proposer une vision convaincante d'un nouveau monde, moral ou physique. Il doit leur apparaître comme l'aigle au point du jour ; ils ont déjà leurs propres chouettes. C'est seulement lorsque les idées nouvelles auront été naturalisées dans leur nouveau cadre, tissées dans l'étoffe de la culture préexistante, que les critiques indigènes (ou le missionnaire lui-même, s'il a aussi été naturalisé) pourront en faire un usage quelconque. Conversion et critique sont deux activités différentes, un peu comme conquête et révolution. Ce qui caractérise chacun des deux derniers termes, critique et révolution, c'est leur nature partiellement réflexive. En termes de police, ce sont tous deux des « ennemis intérieurs ».

Les nouveaux arrivants peuvent aussi critiquer les pratiques locales au nom de ce que j'ai appelé le code minimal — et ce type de critique, qui requiert sans doute des explications, n'exige probablement pas de conversion préalable. Prenez par exemple les conquérants espagnols en Amérique centrale, qui tantôt parlaient au nom du catholicisme, tantôt au nom de la loi naturelle. Certes, leur compréhension de la loi naturelle était profondément catholique, mais ils n'en avaient pas moins raison de s'opposer aux sacrifices humains, par exemple, moins parce qu'ils étaient contraires à la doctrine orthodoxe, que parce qu'ils étaient « contre-nature ». Les Aztèques ne les comprenaient sans doute pas, et cependant l'argument n'avait pas le même degré d'extériorité que ceux qui se référaient au corps et au sang du Christ, à la communion chrétienne, etc. (on peut aussi raisonnablement penser qu'un tel argument trouvait quelque écho dans les sentiments, sinon dans les convictions, des victimes sacrifiées)[6]. Toutefois, dans ce cas précis, la critique naturaliste des sacrifices humains par les missionnaires espagnols semble avoir été de nature largement idéologique, et avoir plutôt servi le dessein de la conquête extérieure que celui d'une réforme ou d'une révolution intérieure. J'envisagerai un exemple plus pur de critique minimaliste dans le dernier chapitre.

Si le travail missionnaire et la conversion sont moralement nécessaires, si le marxisme ou le catholicisme ou toute autre croyance élaborée sont les seuls critères justes de la critique sociale, alors une juste critique sociale a été impossible dans la plupart des mondes moraux effectivement existants. Néanmoins, les ressources nécessaires à toute critique, et même au-delà de la critique

---

6. Cf. Bernice HAMILTON, *Political Thought in Sixteenth-Century Spain : A Study of the Political Ideas of Vitoria, De Soto, Suarez, and Molina*, Oxford, Oxford University Press, 1963, p. 125-129. Vitoria prétend que les Espagnols n'avaient pas le droit de faire respecter la loi naturelle en Amérique centrale car les Indiens ne « reconnaissaient » aucune loi de ce type, mais qu'ils avaient le droit de défendre l'innocent au nom de la loi naturelle : « Personne ne peut donner à un autre homme le droit de le tuer, que ce soit pour se nourrir ou pour un sacrifice. En outre, il est indiscutable que dans la plupart des cas ces gens sont tués contre leur volonté — les enfants par exemple ; il est donc tout à fait légitime de les protéger. » Cité p. 128.

minimale, sont toujours disponibles, en raison de ce qu'est un monde moral, en raison de ce que nous faisons quand nous le construisons. La conception marxiste de l'idéologie n'est qu'une version particulière de cette construction. En voici une autre, plus familière aux philosophes contemporains. Les hommes et les femmes sont amenés à bâtir et à habiter des mondes moraux pour une raison morale : la passion de la justification. Parfois, Dieu seul peut nous justifier, et la morale est alors à même de prendre forme comme une conversation avec Dieu, ou comme une spéculation sur les normes qu'il pourrait, raisonnablement ou pas, vouloir appliquer à notre conduite. Ce seront en tout cas des normes élevées, et même hautement critiques ; le sens du péché naît pour partie du sentiment que jamais nous ne parviendrons à nous y conformer.

Dans une époque sécularisée, Dieu est remplacé par les autres. Nous sommes alors conduits, comme l'écrit Thomas Scanlon, par « le désir d'être capables de justifier [nos] actions aux yeux des autres par des motifs qu'ils ne pourraient pas raisonnablement rejeter[7] ». (Nous ne tolérerons pas la déraison chez nos pairs.) Ce ne sont pas seulement les dirigeants qui veulent être justifiés aux yeux de leurs sujets ; chacun d'entre nous veut être justifié aux yeux de tous les autres. Scanlon estime que ce désir est suscité par les croyances morales que nous avons déjà. C'est exact, mais c'est ce même désir qui suscite la croyance morale — puis le raisonnement et l'invention morale. Nous tentons de nous justifier, mais nous ne pouvons pas nous justifier par nous-mêmes, aussi la

7. SCANLON, « Contractualism and Utilitarianism », *in* Amartya SEN et Bernard WILLIAMS ed., *Utilitarianism and Beyond*, Cambridge, Cambridge University Press, 1982, p. 116.

morale prend-elle corps sous la forme d'une conversation avec d'autres personnes singulières, nos parents, nos amis et nos voisins ; ou bien elle prend corps sous la forme d'une spéculation sur les arguments qui pourraient, ou devraient, convaincre ces personnes de notre droiture. Comme nous connaissons nos proches, nous pouvons et nous devons donner à ces arguments un tour spécifique ; ils ressemblent davantage à « aime ton prochain » (où chaque mot possède un reflet singulier) qu'à « ne sois pas indifférent à la souffrance d'autrui ». Ils sont élaborés en référence à un discours moral effectif et non purement spéculatif : ce n'est pas une seule personne qui parle, mais plusieurs.

Notre expérience de la morale est celle de normes extérieures, qui sont toujours nécessairement fixées par Dieu ou par d'autres personnes. C'est la raison pour laquelle ce sont aussi des normes critiques. Tout comme les morales inventées ou découvertes sont critiques « depuis le début » — sinon la découverte ou l'invention n'auraient aucun mérite —, notre morale quotidienne est aussi critique depuis le début : elle ne justifie que ce que Dieu ou les autres peuvent reconnaître comme juste. Nous voulons cette reconnaissance, même si nous souhaitons aussi, de temps en temps, faire des choses que nous savons impossibles à justifier. La morale ne couvre pas ces derniers désirs, même s'il est toujours possible de l'interpréter de manière à ce qu'elle le puisse. Nous pourrions assimiler une telle interprétation à la version « privée » d'une idéologie. Mais nous portons nos idéologies avec angoisse ; elles sont contraintes et gauches ; elles ne sonnent pas juste et nous attendons que, emporté par la colère ou l'indignation, un voisin, un ami ou un ancien ami, nous le dise.

Cet aperçu de la morale privée vaut aussi au niveau

de la vie collective. Chaque société humaine fournit à ses membres — ou ils se procurent à eux-mêmes, au moyen de la justification — les critères d'un caractère vertueux, d'une conduite honorable, de conduite sociales justes. Ces critères sont des artefacts sociaux ; ils s'incarnent dans des formes très variées : textes juridiques et religieux, contes moraux, poèmes épiques, codes de conduite et pratiques rituelles. Toutes ces formes sont sujettes à interprétation, et sont interprétées tant en un sens apologétique qu'en un sens critique. Il n'est pas exact de dire que les interprétations apologétiques sont les seules qui soient «naturelles», que les critères moraux s'accordent facilement avec les pratiques sociales et contribuent à leur douceur et à leur confort, comme le voudrait une utopie fonctionnaliste. Pour convenir à quelque chose, ces critères doivent être interprétés. A nouveau, une interprétation principalement apologétique est bien une idéologie. Dans la mesure où les pratiques sociales, comme les pratiques individuelles, sont réfractaires à la morale, les idéologies sont toujours problématiques. Nous savons que nous ne pouvons pas vivre à la hauteur de ces critères. Et si d'aventure nous l'oublions, le critique social est là pour nous le rappeler. Son interprétation critique est la seule « naturelle », la morale étant ce qu'elle est. Comme l'Anglais de Bernard Shaw, le critique «fait tout par principe». Mais c'est un personnage sérieux, et non un comique, car ses principes sont les nôtres. Ils ne sont extérieurs qu'en apparence ; ils appartiennent eux-mêmes à la vie sociale qu'on exige de critiquer. Ce sont les mêmes hommes et les mêmes femmes qui agissent mal et qui adhèrent aux critères en fonction desquels (au moins de temps en temps) ils ont conscience de mal agir.

Mais comment pouvons-nous reconnaître une bonne d'une mauvaise interprétation des critères moraux ? Le critique peut bien sûr se tromper ; la bonne critique sociale est aussi rare que la bonne poésie ou que la bonne philosophie. Le critique est souvent passionné, obsessionnel et pharisien ; sa haine envers l'hypocrisie de ses semblables peut bien l'amener à sous-estimer l'hypocrisie elle-même — « le seul mal qui avance / Invisible, si ce n'est à Dieu seul[8] ». Comment l'estimer correctement ? A nouveau, certaines interprétations critiques de la morale existante regardent en arrière, comme celle de Caton, tandis que d'autres, comme celle de Marx, regardent en avant. L'une de ces voies est-elle meilleure que l'autre ? J'ai déjà suggéré quelle était ma réponse, ou plutôt ma non-réponse, à ce type de questions : elles fixent le cadre de la discussion morale qui, elle, n'a pas de fin. Elle s'interrompt seulement à certains moments, qui sont ceux du jugement. Dans une société passive et décadente, la meilleure des attitudes à prendre est peut-être de regarder en arrière ; dans une société active et animée de progrès, c'est sans doute, au contraire, de regarder en avant. Mais il faudra bien alors discuter du sens de « décadence » et de « progrès ». Le critique ne peut-il pas se soustraire à de tels débats sans fin ? Ne peut-il pas se détacher de ses propres tendances à l'obsession ou au pharisaïsme ? Ne peut-il pas proposer une lecture objective de l'expérience morale ? Et s'il ne peut rien faire de tout cela, ne serait-il pas plus opportun de le qualifier d'homme de colère ou de ressentiment que de le créditer du qualificatif — honorable — de *critique* ?

---

8. John MILTON, *Paradis perdu*, vers 683-684. Trad. Chateaubriand, Belin, 1988.

La critique nécessite une distance critique. Mais qu'est-ce que cela signifie ? Selon une vue reçue, cette distance critique divise le moi ; quand nous reculons d'un pas (mentalement), nous créons un double. Le premier moi est toujours impliqué, engagé, courroucé ; il a l'esprit de clocher ; le second moi est détaché, dépassionné, impartial, et observe son double avec sérénité. On prétend que le second moi est supérieur au premier, au sens où sa critique est plus fiable et plus objective, plus susceptible de nous dire la vérité morale du monde dans lequel le critique et nous autres, nous vivons tous. Un troisième moi serait encore meilleur. Cette vision est possible (au moins pour le deuxième moi), dans la mesure où nous avons tous vécu l'expérience du souvenir embarrassé, plein de chagrin et de remords, d'une occasion où nous nous sommes mal conduits. Avec le recul, nous nous formons une certaine image de nous-mêmes et le résultat est pitoyable. Mais c'est le plus souvent une image de nous-mêmes telle que ceux qui comptent à nos yeux nous voient, ou du moins telle que nous pensons qu'ils nous voient. Nous ne nous regardons pas à partir d'une absence de point de vue particulier, mais avec les yeux d'autres personnes singulières — ce qui est une position privilégiée pour la morale, sinon pour l'épistémologie. Nous nous appliquons à nous-même les critères que nous partageons avec d'autres. La critique sociale fonctionne différemment : c'est *aux autres*, à nos concitoyens, à nos amis et à nos ennemis, que nous appliquons les critères que nous partageons avec eux. Nous ne sommes pas dans le ressouvenir embarrassé ; nous regardons autour de nous avec fureur. Il est possible qu'un critique issu des classes dominantes apprenne à voir la société à travers le regard des opprimés, mais un opprimé qui la regarde avec ses propres yeux n'en est pas moins un critique social. Il sera bien sûr pris dans des débats qui contesteront ce qu'il prétend voir et les critères qu'il proclame. Mais il ne pourra pas obtenir gain de cause en prenant du recul ; il ne peut que parler à nouveau, de façon plus claire et plus explicite.

La vision conventionnelle est que le débat peut être clos une fois pour toutes. D'où ce personnage héroïque, le spectateur parfaitement désintéressé, imaginé comme un critique social « passe-partout » et polyvalent. Cependant, on pourrait se demander pourquoi donc un tel personnage serait un critique, plutôt qu'un sceptique radical, ou un pur spectateur, ou encore un interventionniste un peu badin, comme l'étaient les dieux grecs. Peut-être que le premier moi et le second moi ne représentent pas deux degrés différents d'autorité morale, mais deux attitudes à l'égard du monde. Arthur Koestler incline pour une telle hypothèse quand il écrit qu'il y a « deux plans parallèles dans notre esprit, qu'il faut garder séparés : le plan de la contemplation détachée, sous le signe de l'infini, et le plan de l'action au nom de certains impératifs éthiques ». Koestler pense que les deux plans coexistent dans la contradiction. Ainsi il annonce vaillamment que la civilisation européenne est condamnée : « C'est, pour ainsi dire, ma vérité contemplative. Regardant le monde avec détachement [...] je ne le trouve même pas dérangeant. Mais il m'arrive aussi de croire à l'impératif éthique de combattre le mal[9]. » La critique sociale, tout occupée d'impératifs éthiques, appartient à l'évidence au « plan de l'action ». Il est étrange que le plan de la contemplation soit tellement plus mélodramatique. Mais de toute manière, les hom-

9. KOESTLER, *Arrow in the Blue*, ed. Stein and Day, New York, 1984.

mes et les femmes contemplatifs selon Koestler ne sont pas des critiques.

Dans son apologie du détachement, Nagel souligne que l'observateur détaché, le second moi, n'a pas à être impassible devant l'effondrement de la civilisation ou toute autre chose arrivant dans le monde réel, car il n'est pas nécessaire qu'il abandonne les croyances morales et les motivations du premier moi. Mais je ne vois pas comment il peut conserver le même rapport à ces croyances et à ces motivations, une fois qu'il a écarté le monde moral duquel elles tirent leur réalité immédiate, et qu'il a pris ses distances de la personne pour laquelle ces croyances et motivations sont réelles. « Quand nous prenons le point de vue objectif », écrit Nagel comme pour confirmer ce scepticisme, « le problème n'est pas que les valeurs disparaissent, mais qu'elles prolifèrent ; elles émanent de toutes les vies humaines et submergent celles qui animaient la nôtre[10] ». J'accorde qu'il s'agit bien encore d'une forme d'expérience des valeurs, quoique d'une manière plutôt peu habituelle, et que le second moi, d'une certaine façon, éprouve le désir de choisir dans le flot des valeurs contradictoires celles qui lui paraissent les meilleures — qu'elles soient ou non celles du premier moi. Mais sera-t-il enclin à s'engager passionnément pour défendre ces valeurs dans des circonstances particulières de temps et de lieu ? A coup sûr, l'une des principales raisons de rechercher le détachement réside dans la volonté de se détacher de tout engagement passionné (pour s'orienter, comme chez Koestler, vers la contemplation sous le signe de l'infini). Et si c'est le cas, un

---

10. « Limits of Objectivity », art. cit., p. 115.

critique regardant la société est contraint d'être plus critique qu'un critique se regardant lui-même en train de regarder la société[11].

Mais il y a une autre possibilité. Si le détachement a pour effet de littéralement « submerger » les valeurs qui émergent de la propre vie du critique, en ses propres lieux et temps, la voie est alors ouverte pour une entreprise beaucoup plus radicale que celle de la critique sociale telle que je l'ai décrite — une entreprise qui s'apparente davantage à la conversion et à la conquête : le remplacement total de la société de laquelle le critique s'est détaché par une autre, qu'elle soit réelle ou imaginaire. Ce remplacement dépend bien sûr de ce qu'on critique comme étant à remplacer. Je ne chercherai pas à l'exclure : c'est bien là de la critique sociale. Mais cette forme de critique sociale est souvent sans intérêt moral, et n'est certes pas celle dont nous devrions admirer « l'objectivité ».

Il peut être utile de considérer ici quelques exemples historiques, fût-ce brièvement. J'ai choisi de commencer par John Locke et sa célèbre *Lettre sur la tolérance*, qu'on admire à juste titre. Ce texte est à l'évidence un texte critique, bien qu'il ait été publié en 1689, l'année du *Toleration Act*, dont il défend les principes. La *Lettre* a été écrite quelques années auparavant, pendant que Locke vivait en exil en Hollande, et est animée de ce qui était alors encore les vues de l'élite politique anglaise. Cependant, elle défend une idée révolutionnaire ; elle marque un point d'inflexion significatif, car

11. Ce qui incite à penser que le « second moi » sera l'auteur d'une histoire ou d'une sociologie de la critique, ou peut-être même d'une philosophie de la critique (c'est mon propre « second moi » qui écrit ces lignes). Mais le « premier moi » sera le critique.

l'Europe issue de longs siècles de persécutions différait passablement de l'Europe antérieure. Comment la critique œuvre-t-elle dans des moments comme ceux-là ?

L'exil de Locke peut être entendu comme un détachement vis-à-vis de la politique anglaise, au moins de la politique établie telle qu'on la concevait alors. Nous pourrions dire que l'exil est littéralement l'établissement d'une distance critique. La Hollande peut cependant difficilement passer pour le royaume de l'objectivité, tandis que la présence de Locke sur son sol ne peut guère valoir à titre de « recul » philosophique. La Hollande devait sembler à Locke une Angleterre (un peu) plus avancée, solidement protestante et attachée à la tolérance. Les réfugiés politiques ne s'évadent pas vers nulle part ; s'ils le peuvent, ils choisissent leur refuge selon des critères qu'ils connaissent déjà, cherchant des amis et des alliés. Aussi l'exil de Locke le liait-il plus étroitement que jamais aux forces politiques qui combattaient la « tyrannie » des Stuart. Il l'impliquait dans une cause. Et quand il prône la tolérance religieuse, il le fait dans des termes familiers à ses associés politiques. La *Lettre* est un tract partisan, un manifeste *whig*.

Mais elle n'est pas que cela. L'argumentation de Locke fixe les termes du discours politique pour un siècle ou plus, mais, arrivé au point crucial de la *Lettre*, il regarde résolument en arrière, et invoque une idée qui ne figure guère dans le registre de la politique *whig* ou dans la philosophie des Lumières — l'idée de salut personnel. Locke en appelle à la signification du salut dans la pensée et dans la pratique protestantes. « Il est vain, écrit-il, pour un incroyant, de prendre l'apparence extérieure de la profession d'un autre homme. Seule la foi et la sincérité intérieures procurent l'accès à Dieu. » La *Lettre* propose une lecture particulière de la théologie luthérienne et calviniste, mais qui n'est pas pour autant idiosyncrasique ou incongrue. Elle ne plaide en aucune manière pour le remplacement de cette théologie ou du monde moral du protestantisme anglais. Locke en arrive à une conclusion pleine de force (que Rousseau semble avoir reprise mais aussi mésinterprétée) : « Les hommes ne peuvent être forcés d'être sauvés, qu'ils le veuillent ou non [...]. Ils doivent être laissés à leur propre conscience [12]. » Il ne parle pas ici le nouveau langage des droits naturels ; c'est beaucoup plus le vieux langage du « salut par la foi ». Mais ces lignes suggèrent comment on peut passer de l'ancien au nouveau — non pas tant en découvrant des droits qu'en interprétant la foi, « la sincérité intérieure », et la conscience. (Ce qui explique que l'usage fait par Locke du langage des droits ne prit pas ses contemporains par surprise.) Étant donné ce qu'est le salut, dit-il, ou mieux, ce que nous entendons par salut (le nous ne désignant pas seulement ici ses compagnons d'exil), la persécution ne peut pas servir la cause que brandissent ses défenseurs. Elle blesse le moi moral tout comme le moi physique, et rien d'autre.

Plaider pour la tolérance nous paraît être aujourd'hui le type idéal de l'entreprise dépassionnée. La croyance religieuse, pensons-nous, prédispose à la passion, au fanatisme et donc à la persécution ; la tolérance est le fruit du scepticisme et du désintérêt. En pratique, la tolérance est le plus souvent le fruit de la fatigue : toute passion épuisée, il ne reste rien d'autre que la coexistence. Mais on peut aisément imaginer une défense philosophique, partant de l'observation détachée de la folie

---

12. LOCKE, *A Letter Concerning Toleration*, introduction de Patrick Romanell, Indianapolis, Bobbs-Merrill, 1950, p. 34-35. Trad. franç. Paul Vernière 1825, *reprint* éd. Slatkine, 1980.

des guerres de Religion. Le zèle théologique qui porte à persécuter paraît quelque peu diminué une fois que l'on reconnaît, à distance, la valeur de toute vie humaine, prise individuellement. Pour de nombreux Anglais du XVIIe siècle toutefois, et probablement pour Locke aussi, la valeur de toute vie humaine dépendait étroitement de l'idée de la conscience, l'étincelle divine à l'intérieur de chacun d'entre nous. La tolérance était elle-même une question théologique, position défendue avec autant de zèle que toute autre dans les guerres incessantes. Le détachement peut bien donner une raison (distancée) en faveur de cette position ; il ne donne pas la raison d'adopter une telle position, en tout cas pas la raison qui est celle de Locke. Même, l'insistance sur la distance critique peut être ici égarante, si elle nous mène à manquer le caractère substantiel de l'argument de Locke et à passer à côté de sa position intellectuelle : au sein et non en dehors d'une tradition de discours théologique ; au sein et non au-dessus de la mêlée politique.

L'opposition, bien plus que le détachement, est ce qui détermine l'attitude de la critique sociale. Le critique prend parti dans des conflits en cours ou latents ; il prend position contre les forces politiques dominantes. Il en résulte qu'il est parfois conduit à prendre le chemin de l'exil ou de cet exil intérieur que nous appelons « aliénation ». J'admets qu'il n'est certes pas facile d'imaginer Locke comme un intellectuel aliéné, lui qui est tellement au cœur de notre propre tradition politique. Bien qu'il ait écrit anonymement sur la politique et la religion, ménageant ainsi la place de son propre radicalisme, il n'en a pas moins cultivé la centralité, prenant modèle, dans le *Second Traité* par exemple, sur ce conservateur « avisé », Richard Hooker, et invitant sans cesse les lecteurs à admirer à quel point il était lui-même avisé. C'était sans doute là affaire de prudence, et aussi de tempérament et de chance : les associés politiques de Locke étaient des gens puissants, et il a probablement perçu que son exil serait bref, ce qu'il fut. Être avisé fut un choix sage. Lorsque sa *Lettre* fut publiée, ses amis étaient au pouvoir. Aussi nous faut-il regarder des critiques moins heureux, dont l'opposition fut plus prolongée et plus amère. Ce n'est pas que de tels critiques aient adopté l'attitude du détachement — loin s'en faut — mais leur liaison aux valeurs et aux traditions communes est beaucoup plus problématique que ne le fut celle de Locke. Ils sont tentés par une sorte de congé très différent de celui suggéré par l'idée philosophique de prendre du recul, et différent aussi de l'exil lockien. Ils sont tentés de déclarer l'état de guerre, puis de rejoindre les lignes adverses.

Les exemples les plus simples proviennent de l'histoire de la guerre justement, et particulièrement de l'histoire des guerres d'intervention et des guerres coloniales. Mais je veux tout d'abord réexaminer brièvement l'analyse marxiste de l'idéologie et des luttes de classes. C'est l'un des grands échecs du marxisme que ni Marx ni aucun de ses principaux successeurs théoriques n'aient jamais forgé une théorie morale et politique du socialisme. Leurs raisonnements débouchaient sur un avenir socialiste — sans oppression ni exploitation —, mais la forme précise de cet avenir fut rarement discutée. Quand les marxistes faisaient de la critique sociale (plutôt que de rabâcher les analyses toutes faites des lois du développement capitaliste), cette présupposition fournissait un point d'appui rassurant. La force de leur critique dérivait toutefois du dévoilement de l'hypocrisie bourgeoise — comme dans ce texte de Marx, commentant de manière caustique les apologistes anglais de la semaine de sept jours et de la journée de douze heures, « et ça, dans un pays de célébrateurs du sabbat[13] ». Les marxistes n'ont jamais entrepris le type de réinterprétation des idées bourgeoises qu'aurait pu produire le « nouveau complexe idéologique et théorique » gramscien. La raison de cet échec tient à leur vision de la lutte des classes comme guerre effective, dans laquelle leur tâche d'intellectuels était seulement de soutenir les travailleurs. Implicitement, et parfois explicitement, ils rejetaient l'idée de la critique sociale comme réflexion collective sur la vie collective, car ils récusaient la réalité de la vie collective, de l'existence de valeurs communes et d'une tradition partagée. Même la brève référence faite par Marx au repos sabbatique suffit à indiquer la stupidité de ce refus. Mais le refus n'en est pas moins une des principales forces du marxisme. Il contribue au caractère essentiellement polémique et propagandiste de la critique marxiste, toujours prête à abandonner « l'arme de la critique » pour « la critique des armes ».

En ce sens, les marxistes ne peuvent pas être proprement appelés critiques de la société bourgeoise, car le cœur de leur politique est moins de critiquer que de renverser la bourgeoisie. Au lieu de cela, ils sont critiques des travailleurs, dans la mesure où ceux-ci sont idéologiquement prisonniers et manquent à remplir leur rôle historique d'agents de la révolution. Les marxistes expliquent ce manque en invoquant la théorie de la fausse conscience, qu'on peut tenir pour leur attitude envers les valeurs communes. Cette théorie reconnaît qu'elles sont communes, mais traite ce caractère comme une sorte d'erreur collective — et manque ainsi l'occasion criti-

---

13. K. MARX, *Le Capital*, livre 1, Garnier-Flammarion, Paris, p. 193.

que de décrire le socialisme en termes socialement validés et compréhensibles. La seule possibilité reste dès lors de ne pas le décrire du tout. Découvrir ou inventer un ensemble de valeurs socialistes ne semble pas avoir été une possibilité pratique. Pourquoi les travailleurs mettraient-ils leur vie en jeu pour *ça* ? Marx aurait mieux fait de prendre au sérieux sa propre métaphore de la nouvelle société naissant dans le sein de l'ancienne.

Mais au moins les auteurs marxistes ont été d'honnêtes et constants critiques de l'idéologie de la classe ouvrière et donc des organisations et des stratégies des mouvements ouvriers. Il est une autre manière de passer à l'autre extrême et d'abandonner également la critique. Prenons le cas de Jean-Paul Sartre et de la guerre d'Algérie. Sartre professait que l'intellectuel est un critique permanent. Libéré de sa propre classe par sa recherche de l'universalité, il rejoint le mouvement des opprimés. Mais même là il est inassimilable : « Il ne peut jamais renoncer à ses facultés critiques s'il veut préserver la signification fondamentale des fins poursuivies par le mouvement. » Il est le « gardien des fins fondamentales », c'est-à-dire des valeurs universelles. L'intellectuel accomplit cette mission par une version sartrienne du « recul », à savoir « en [se] critiquant constamment et radicalement ». Mais cette voie vers l'universalité est dangereuse. Ayant « récusé » ce que Sartre appelle « son conditionnement petit-bourgeois », l'intellectuel est en passe de se retrouver sans aucune valeur concrète ou substantielle. L'universalité menace de se retourner en une catégorie vide pour des hommes et des femmes « déconditionnés », de telle sorte que leur engagement en faveur des opprimés soit « inconditionné » (comme Sartre dit qu'il devrait l'être). Une fois engagés, ils sont supposés redécouvrir tension et contradiction : celles d'« une conscience divisée, qui ne peut jamais être soignée[14] ». En pratique, toutefois, un engagement inconditionnel peut sembler une médecine ; au moins il peut produire les symptômes de l'intégrité. Nous pouvons le voir clairement dans la vie de Sartre lui-même qui, après s'être engagé auprès des nationalistes algériens, fut incapable de prononcer une seule critique de leurs principes ou de leur politique. Dorénavant, il pointa ses idées, comme un soldat pointe son fusil, mais avec davantage de justifications, dans une seule direction.

Certes, Sartre fut un critique, et un critique constant et courageux de la société française — de la guerre d'Algérie, puis de la conduite de la guerre, toutes deux vues comme les conséquences nécessaires du colonialisme français. Mais puisqu'il se décrivait lui-même comme un ennemi et même comme un « traître », comme pour accepter, avec une hauteur caractéristique, les attaques de ses adversaires de droite, il retirait le sol sous les pas de sa propre entreprise[15]. On ne peut reconnaître en un ennemi un critique social ; il n'en a pas la posture. Nous attendons et discréditons simultanément la critique de nos ennemis. Et le discrédit est particulièrement

---

14. J.-P. SARTRE, *Between Existentialism and Marxism*, New York Pantheon, 1983, p. 261.

15. Cf. les mots d'un autre critique de sa propre société, encore plus en porte à faux, l'écrivain afrikaaner André Brink : « Si le dissident afrikaaner rencontre aujourd'hui une réaction aussi violente de la part du pouvoir, c'est parce qu'on le considère comme traître à tout ce que la communauté afrikaaner défend (quoique l'*apartheid* ait usurpé pour lui seul cette définition) — alors qu'en fait le dissident lutte pour affirmer les aspects les plus positifs et les plus créateurs de son héritage. » *Writing in a State of Siege* : trad. fr. Jean Guiloineau, *Sur un banc du Luxembourg*, Stock, 1983, p. 13. *Essays on Politics and Literature*, New York, Summit Books, 1983, p. 19. Brink est un critique « inséré », mais on ne peut ignorer qu'il pourra bien un jour être contraint à l'exil, ou même à un exil moral qui le conduirait au-delà de son courageux « là où ».

aisé si la critique est faite au nom de principes « universels » appliqués unilatéralement à nous seuls. Mais peut-être devrions-nous penser à l'autodescription de Sartre et à sa construction du « rôle » de critique, comme à une sorte de rideau de fumée théorique derrière lequel ses amis et lui se livraient à l'activité familière de l'opposition interne ; les principes qu'il évoquait étaient à coup sûr bien connus en France ; c'est même là que les leaders nationalistes algériens les avaient appris. Les intellectuels français avaient eu rarement à prendre du recul ou à se soumettre à l'autocritique pour découvrir, disons l'idée de l'autodétermination. Cette idée était déjà la leur ; ils n'avaient qu'à l'appliquer — c'est-à-dire étendre son application à l'Algérie. Ce qui empêcha Sartre d'adopter ce point de vue sur sa propre activité fut sa conception de la critique comme guerre. La guerre était bien réelle, mais la critique de la guerre était une entreprise distincte et séparée. Joignez les deux et la critique, comme dans le cas de Sartre, est corrompue.

Il y a alors deux extrêmes (même si elle est inexacte, cette description est suffisante) : le détachement philosophique et un engagement « traître », prendre du recul et aller au-delà. Le premier est une précondition du second ; le sous-engagement envers sa propre société conduit, ou peut conduire, au surengagement envers quelque autre société, qu'elle soit fictive ou réelle. Le véritable fond de la critique sociale est un fond que le philosophe détaché et le « traître » sartrien ont également abandonné. Mais ce fond permet-il une distance critique ? Il le fait à l'évidence, sinon nous n'aurions pas autant de critiques que nous en avons. La critique n'exige pas que nous prenions du recul vis-à-vis de la société dans son ensemble, mais seulement vis-à-vis de certaines sortes de relations de pouvoir au sein de la société. Ce n'est pas de l'implication dont nous devons nous distancer, mais de l'autorité et de la domination. La marginalité est l'un des moyens d'établir (ou de faire l'expérience de) cette distance ; certaines formes de retrait intérieur représentent d'autres voies. J'ai tendance à penser que quelque chose de cet ordre est requis en général pour la vie intellectuelle, comme l'exprime cet avis donné par un sage talmudique à de futurs sages : « Aime le travail, ne domine pas les autres, et ne recherche pas l'intimité des fonctionnaires publics[16]. » L'exercice effectif du pouvoir et l'ambition machiavélienne de chuchoter à l'oreille du prince : tels sont les réels obstacles à la pratique de la critique, car ils ne permettent pas de regarder avec les yeux ouverts les aspects de la société qui ont le plus besoin de vigilance critique. L'opposition n'est pas un obstacle analogue, quoique nous ne soyons pas plus objectifs dans l'opposition qu'au pouvoir.

Imaginez un instant la distance critique dans les catégories caricaturales et légèrement comiques de l'âge. Les vieux sont plutôt critiques comme l'était Caton, pensant que les choses n'avaient fait qu'empirer depuis sa jeunesse. Les jeunes le sont plutôt comme l'était Marx, pensant que le meilleur est encore à venir. Un âge avancé prédispose à la distance critique tout comme la jeunesse ; les années non critiques viennent sans doute au milieu. Mais les principes des vieux comme ceux des jeunes n'ont aucune distance, et ne sont certainement pas objectifs. Les vieux se souviennent d'un temps qui n'est pas si éloigné. Les jeunes sont récemment socialisés : s'ils sont (parfois) radicaux et idéalistes, cela informe sur le contenu intellectuel de la socialisation. Ce qui rend la critique

16. *Pirke Avot*, Dits des Pères, 1.10.

possible, ou du moins relativement aisée pour ces deux groupes est cette faculté de ne pas être engagé, ou du moins pas pleinement engagé dans les formes locales du gain et de la dépense, de ne pas être responsable de ce qui arrive, de ne pas être en charge du contrôle politique. Les vieux peuvent bien céder la place à contrecœur ; les jeunes peuvent bien vouloir l'obtenir avec impatience. Mais qu'ils le veuillent ou non, les deux groupes sont un petit peu de côté. Ils sont, ou ils peuvent être, des casse-pieds.

Un peu de côté, mais non à côté ; la distance critique se mesure en centimètres. Bien que jeunes et vieux ne contrôlent pas les principales entreprises économiques et politiques de leur société, ils ne sont pas sans avoir quelque rapport avec le succès de ces entreprises, ou au moins à leur succès éventuel. Ils veulent que les choses aillent bien. C'est aussi la revendication commune du critique social. Il n'est pas un observateur détaché, même lorsqu'il regarde la société qu'il scrute d'un œil froid et sceptique. Il n'est pas un ennemi, même lorsqu'il s'oppose avec acharnement à telle ou telle pratique dominante, ou à tel ou tel arrangement institutionnel. Sa critique n'exige pas de choisir entre détachement et inimitié, car il trouve un garant de l'engagement critique dans son idéalisme, même si c'est un idéalisme hypocrite ou la simple transposition du monde moral existant en fait.

Mais c'est là un portrait du critique social tel qu'il est communément ; ce n'est pas un portrait du critique social idéal. Je dois avouer avoir du mal à imaginer ce genre de personnage — en tout cas pas s'il doit être un personnage unique, avec un point de vue (objectif) unique, et une unique série de principes critiques. Néanmoins, j'ai tenté d'insuffler dans ma description quelque chose de mon propre idéal, qui est différent des idéaux locaux et variés des critiques sociaux effectifs. C'est en toute connaissance de cause que j'ai accordé de l'importance aux liens qui relient le critique à sa propre société. Mais pourquoi ces liens devraient-ils être en général valorisés, les sociétés étant tellement différentes ? La critique la plus efficace est bien sûr celle conduite par le critique capable d'invoquer des valeurs locales, mais on ne peut pas dire pour autant que la critique s'évanouit si le critique ne veut pas ou n'est pas capable de le faire. Prenez par exemple le cas des intellectuels bolcheviques, que Gramsci a résumé en quelques phrases délicieuses :

« Une élite constituée de quelques-uns des membres de la société les plus actifs, énergiques, entreprenants et disciplinés, émigre à l'étranger et assimile les expériences culturelles et historiques des pays occidentaux les plus avancés, sans toutefois perdre les caractéristiques les plus essentielles de leur propre nationalité, c'est-à-dire sans rompre les liens historiques et sentimentaux qui les rattachent à leur propre peuple. Ayant ainsi accompli leur apprentissage intellectuel, ils retournent dans leur pays et contraignent le peuple à un réveil forcé, sautant des stades historiques dans le processus[17]. »

La référence aux « liens sentimentaux » est nécessaire pour expliquer pourquoi ces intellectuels entreprenants, qui ont assimilé la culture occidentale, ne sont pas tout bonnement restés à l'Ouest. Ils ont contemplé le soleil, mais sont néanmoins retournés dans la caverne. Une fois de retour, cependant, ils ne semblèrent plus trop animés par des motifs sentimentaux. Ils apportaient avec

17. *Prison Notebooks (Cahiers de prison*, p. 19-20).

eux une grande découverte — de nature plus scientifique que morale — pour laquelle ils avaient voyagé sur de longues distances, et pas seulement dans l'espace : ils avaient aussi avancé dans le temps (en ce sens, beaucoup plus que Locke en Hollande). Cette avancée théorique fut la forme que prit leur détachement de la vieille Russie. Ils proposaient désormais à la Russie une doctrine vraie qui n'avait pas de racines russes. La critique sociale bolchevique s'appuya assurément avec vigueur sur les débats et les circonstances propres à la Russie. Il était nécessaire, écrivait Lénine, « de rassembler et d'utiliser chaque miette de mécontentement, même rudimentaire », et le mécontentement rudimentaire, à la différence de la découverte doctrinale, est toujours un phénomène local [18]. Mais ce type de critique était de nature crûment instrumentale. Les chefs bolcheviques ne firent pas d'efforts sérieux pour s'ancrer dans les valeurs communes de la culture russe. C'est pourquoi, quand ils eurent pris le pouvoir, ils se sentirent contraints « de contraindre le peuple à un réveil forcé ».

Je suis tenté de dire que Lénine et ses amis n'étaient pas du tout des critiques sociaux, car ce qu'ils écrivaient était de nature étroitement analytique ou étroitement propagandiste. Mais il faut probablement mieux dire qu'ils furent de mauvais critiques sociaux, regardant la Russie de très loin, et n'aimant tout simplement pas ce qu'ils voyaient. De même ils furent de mauvais révolutionnaires, car ils prirent le pouvoir par un *coup d'État* et gouvernèrent le pays comme s'ils l'avaient conquis. Le groupe des radicaux russes qui s'appelaient « sociaux-révolutionnaires » fournit une comparaison utile. Les sociaux-révolutionnaires travaillèrent dur pour retrou-

---

18. LÉNINE, *Que faire ?*

ver les valeurs communales du village russe et pour construire ainsi un argument contre le nouveau capitalisme rural. Ils racontaient une histoire à propos du mir. Je soupçonne cette histoire, comme de nombreuses histoires de la sorte, d'avoir été largement fantaisiste. Les valeurs en étaient toutefois réelles, reconnues et acceptées par de nombreux Russes, même si elles n'étaient pas — même si elles n'avaient jamais été — incorporées socialement. Ainsi les sociaux-révolutionnaires développèrent une critique des relations sociales dans la campagne russe qui était d'une certaine manière (je ne voudrais pas exagérer) riche, fine et nuancée, et qui était accessible aux gens qui vivaient ces relations sociales. Les bolcheviques au contraire furent soit incompréhensibles, soit trompeurs, passant erratiquement de la théorie marxiste à une politique opportuniste.

Le problème d'une critique distanciée, et donc de la critique qui dérive de critères moraux récemment découverts ou inventés, est qu'elle presse ceux qui la pratiquent de recourir à la manipulation ou à la contrainte. Certes, il en est beaucoup pour résister à cette pression ; le détachement et l'absence de passion sont des défenses construites à cet effet. Mais dans la mesure où le critique veut être efficace, veut ramener la critique chez lui (bien que chez lui, en un sens, ne veuille plus rien dire pour lui), il se trouve obligé d'adopter l'une ou l'autre de ces deux versions d'une politique peu attirante. C'est pour cette raison que j'ai essayé de distinguer son entreprise de la réflexion collective, la critique de l'intérieur, ou encore, comme on l'appelle parfois, la « critique immanente ». La sienne est une sorte de critique asociale, une intervention extérieure, un acte de coercition, intellectuel dans sa forme mais recelant toujours quelque menace physique. Il y a peut-être des sociétés si fermées sur elles-mêmes, si confinées dans leurs justifications, fussent-elles idéologiques, qu'elles exigent une critique asociale ; il n'y en a pas d'autre possible. Peut-être... mais mon propre sentiment est que de telles sociétés se rencontrent davantage dans les fictions des sciences sociales que dans le monde réel [19].

Parfois, cependant, même dans le monde réel, le critique est conduit à une sorte d'asociabilité, non parce qu'il a découvert de nouveaux critères moraux, mais parce qu'il a découvert une nouvelle théologie, ou une nouvelle cosmologie, ou encore une nouvelle psychologie, inconnues et même provocatrices à l'égard de ses pairs, et d'où semblent découler des arguments moraux. Freud en est le meilleur exemple moderne. Sa critique de la morale sexuelle aurait pu être fondée, comme d'autres critiques similaires le seront plus tard, sur les idées libérales de liberté et d'individu. Mais Freud argumenta du haut de sa théorie nouvellement découverte. Il fut en effet un grand découvreur, un aigle parmi les découvreurs, puis un critique héroïque des lois et des pratiques répressives. Et cependant une politique freudienne ou thérapeutique serait aussi peu désirable et aussi manipulatoire que toute autre politique fondée sur une découverte et déconnectée des formes de compré-

---

19. On pourrait aisément penser que correspondraient à cette description des sous-groupes au sein de sociétés plus grandes, comme les communautés religieuses orthodoxes étroitement soudées, du type des juifs hassidiques ou des protestants amish aux États-Unis aujourd'hui. L'orthodoxie en tant que telle ne fait pas obstacle à la critique interne, comme le suggèrent les hérésies sans fin du christianisme médiéval, ou les dissidences au sein des groupes protestants dissidents. Mais plus la communauté est petite et assiégée, moins elle offre de ressources au critique « inséré ». Il lui faudra faire appel à une tradition politique ou religieuse plus large, au sein de laquelle la sienne propre se situe (malaisément) — ainsi un critique de la société hassidique ou de la société amish pourra en appeler au protestantisme ou au judaïsme plus généralement, ou encore au libéralisme américain.

hension locales. C'est alors une bonne chose que ni la critique ni la politique oppositionnelle ne dépendent de découvertes de cette sorte. La critique sociale est moins le rejeton pratique de la connaissance scientifique que la cousine cultivée de la complainte commune. Nous devenons pour ainsi dire naturellement critiques, en construisant à partir des morales existantes et en racontant des histoires sur une société plus juste que la nôtre, mais jamais complètement différente.

Il vaut mieux raconter des histoires — c'est mieux, même s'il n'y a pas de meilleure histoire ou d'histoire définitive, même s'il n'y a pas de dernière histoire qui, une fois racontée, laisserait tous les conteurs futurs sans emploi. Je comprends que cette indétermination engendre, non sans raisons, une certaine appréhension philosophique. De celle-ci découle tout l'appareil de détachement et d'objectivité, dont le propos n'est pas de faciliter la critique, mais d'en garantir la correction. La vérité est qu'il n'y a pas de garantie, pas plus qu'il n'y a de garant. Et pas plus qu'il n'y a de société, attendant d'être découverte ou inventée, qui pourrait se passer de nos histoires critiques.

3. Le prophète comme critique social

Les tensions et les contradictions que j'ai jusqu'ici discutées — morale découverte ou morale inventée, d'un côté, et morale interprétée de l'autre ; critique interne et critique externe ; valeurs partagées et pratiques quotidiennes ; immersion sociale et distance critique —, tout cela est très ancien. Ce ne sont pas des propriétés de l'époque moderne ; bien que je les ai décrites dans un langage moderne, elles l'ont déjà été en d'autres langages, en d'autres temps et d'autres lieux. Elles sont pleinement visibles dans les tout premiers exemples de critique sociale, et je voudrais montrer, dans ce dernier chapitre, à quoi elles pouvaient alors ressembler, dans ce qui fut sans doute leur première apparition, au moins dans le monde occidental. Il est temps de garnir de chair historique le squelette théorique de mon raisonnement. Et, comment mieux montrer que le critique immergé est chair de notre chair que de lui donner le nom d'Amos, le premier et sans doute le plus radical des prophètes d'Israël ?

Je cherche à comprendre et à expliquer la pratique prophétique de l'Israël antique. Je ne songe pas là à la personnalité prophétique ; je ne m'intéresse pas à la psychologie de l'inspiration ou de l'extase. Je ne vise pas plus les textes prophétiques ; ils sont douloureusement obscurs en bien des points, et je n'ai pas une connaissance historique et philologique suffisante pour les déchiffrer (ou même pour proposer des lectures spéculatives des passages contestés). Je veux comprendre la prophétie comme pratique sociale : ni les hommes ni le texte, mais le message, et aussi sa réception. Bien sûr, il y a eu des prophètes avant ceux que nous connaissons, et aussi des devins, des faiseurs de prédictions, des oraculants, des mages et des visionnaires ; et il n'y a rien de bien énigmatique dans leurs messages ou dans leur audience. Les prédictions de ruine et de gloire trouveront toujours des oreilles pour les entendre, surtout si la ruine est pour les ennemis et la gloire pour nous-mêmes. A en croire Isaïe, le cri du peuple est : « Dites-nous des flatteries » (30, 10), et c'est ce que font ordinairement les prophètes de cour ou du temple [1]. C'est seulement lorsque ces prédictions sont placées dans un cadre moral, comme le fait Amos, lorsqu'elles sont l'occasion de s'indigner, lorsque les prophéties sont aussi des provocations, des assauts verbaux contre les institutions et les activités de la vie quotidienne qu'elles deviennent intéressantes. C'est alors une énigme, car pourquoi le peuple écoute-t-il, et non content d'écouter, copie-t-il, conserve-t-il et répète-t-il le message prophétique ? Ce message n'est pas flatteur ; il ne peut pas être joyeu-

1. Cf. Johannes LINDBLOM, *Prophecy in Ancient Israël*, Oxford, Basil Blackwell, 1962, chap. 1-2 ; Joseph BLENKENSOPP, *A History of Prophecy in Israël*, Londres, SPCK, 1984, chap. 2.

sement entendu, ni suivi à la lettre ; le peuple, dans sa grande majorité, ne fait pas ce que les prophètes le pressent de faire. Mais il choisit de se souvenir de leurs injonctions. Pourquoi ?

C'est ici, écrit Max Weber, « que le démagogue apparaît pour la première fois dans les tablettes de l'histoire ». Mais ce n'est pas tout à fait vrai, car bien que les prophètes aient parlé au peuple et probablement en son nom, et bien qu'ils aient parlé avec la véhémence et l'emportement qu'on attribue conventionnellement aux démagogues, ils ne semblent pas avoir recherché un écho populaire ou même avoir aspiré à une fonction politique. Weber est plus proche de la vérité quand il soutient que les prophéties, écrites et mises en circulation dans les villes d'Israël et de Judée représentent le premier exemple connu de pamphlet politique[2]. Mais cette suggestion est trop étroite. La religion prophétique embrasse non seulement la politique, mais aussi tous les aspects de la vie sociale. Les prophètes furent (le terme n'est que modérément anachronique) des critiques sociaux. En fait, ils furent les inventeurs de la pratique de la critique sociale, bien qu'ils ne l'aient pas été de leur propre message critique. Aussi pouvons-nous, en les lisant et en étudiant leur société, apprendre quelque chose des conditions qui ont rendu la critique possible et qui lui ont permis de se développer, ainsi que de la place et du rôle du critique au sein du peuple qu'il critique.

La première chose à noter est que le message prophétique dépend de messages antérieurs. Ce n'est pas quel-

2. Max WEBER, *Le Judaïsme antique*, trad. Freddy Raphaël, Plon, Paris, 1970, p. 359, 363-364.

que chose de radicalement nouveau ; le prophète n'est pas le premier à trouver, pas plus qu'il ne conçoit, la morale qu'il expose. Nous pouvons déceler un révisionnisme théologique chez certains prophètes tardifs, mais aucun d'entre eux ne présente de doctrine entièrement originale. Pour la plupart, ils récusent toute originalité, et pas seulement au sens trivial où ils attribuent leur message à Dieu. Il est plus important de remarquer qu'ils ne cessent de se référer à l'histoire épique et aux enseignements moraux de la Torah : « On t'a fait savoir, homme, ce qui est bien » (Michée, 6, 8). L'usage du passé est ici signifiant. Les prophètes assument les messages antérieurs, les « démonstrations » divines, l'immédiateté de la loi et de l'histoire dans l'esprit de leurs auditeurs. Ils ne délivrent pas d'enseignement ésotérique, même pour leurs plus proches disciples. Ils parlent pour un large public, et malgré la véhémence de leur colère, ils attendent que ce public les écoute. Ils supposent, écrit Johannes Lindblom, « que leurs paroles peuvent être immédiatement comprises et acceptées » — mais pas qu'elles le sont : ils connaissent ceux pour qui ils prophétisent[3].

Les opinions des prophètes trouvent leur corrélat sociologique dans la structure politique de l'Israël antique : une série plutôt lâche de dispositions locales, sans cesse sources de conflits, bien éloignée des hiérarchies unifiées de l'Égypte à l'ouest et de l'Assyrie à l'est. En Israël, la religion n'était pas la possession exclusive des prêtres, et la loi n'était pas la possession exclusive des bureaucrates royaux. La prophétie, sous la forme où nous la connaissons, n'aurait pas été possible sans la faiblesse relative du clergé et de la bureaucratie dans la vie quo-

---

3. LINDBLOM, *op. cit.*, p. 313.

tidienne du pays. Ces conditions de possibilité préalables sont indiquées dans les textes prophétiques : la justice est rendue (ou n'est pas rendue) aux « portes » de la cité, et la religion est discutée dans les rues[4]. La Bible suggère clairement l'existence parmi les Hébreux d'une forte religiosité laïque et populaire. Celle-ci a un double aspect, de piété individuelle et d'un credo d'alliance plus ou moins commun, quoique âprement discuté. Pris ensemble, ces deux aspects font une culture de prière et de débats indépendante de la culture religieuse plus formelle du pèlerinage et du sacrifice. Sans aucun doute soutenue, comme Weber le note, par des « milieux d'intellectuels citadins », cette religiosité informelle rayonnait au-delà de tels cercles[5]. S'il n'en avait pas été ainsi, les prophètes n'auraient pas pu avoir de public.

Ou bien alors, la prophétie aurait pris une tout autre forme. Je vais essayer d'illustrer une autre de ces possibilités par un exemple tiré du livre de Jonas, qui conte l'histoire d'un prophète envoyé par Dieu à la ville de Ninive, où l'appel à la loi et à l'histoire d'Israël n'aurait eu à l'évidence aucun sens. Mais il me faut tout d'abord dire un mot des conditions dans lesquelles un tel appel a un sens, c'est-à-dire analyser particulièrement la force et la légitimité de la religion laïque. Elle est pour une part l'objet de pratiques populaires, comme la pratique de la prière spontanée que Moshe Greenberg a décrite[6]. Mais il y a aussi ce que nous pourrions appeler une idée ou même une doctrine de la religion laï-

---

4. Cf. James LUTHER MAY, *Amos : A Commentary*, Philadelphia, Westminster, 1969, p. 11, 93.

5. M. WEBER, *Le Judaïsme antique*, *op. cit.*, p. 361.

6. GREENBERG, *Biblical Prose Prayer as a Window to the Popular Religion of Ancient Israël*, Berkeley, University of California Press, 1983.

que. Cette doctrine est tout à fait appropriée à un credo d'alliance, et le Deutéronome, qui est l'exposé central de la théologie de l'Alliance d'Israël, en fournit l'expression la plus claire. La relation exacte du Deutéronome au mouvement prophétique est l'objet de débats. Les prophètes ont-ils influencé les auteurs du Deutéronome ou fut-ce l'inverse ? Il semble vraisemblable que les influences furent réciproques, selon des canaux que nous ne comprendrons jamais parfaitement. En tout cas, un grand nombre de passages des livres prophétiques font écho au texte du Deutéronome (ou l'anticipent ?) tel que nous le connaissons aujourd'hui, et la tradition de l'alliance que le Deutéronome élabore est sûrement plus ancienne qu'Amos, quoique la « découverte » de ce texte n'ait eu lieu qu'un siècle et demi après les prophéties d'Amos, au plus tôt. Aussi je vais me fonder sur ce livre pour évoquer l'arrière-fond doctrinal de la prophétie[7] : une version normative de la culture informelle et non cléricale de la prière et du débat.

Je voudrais commenter brièvement deux passages, le premier issu de la fin du Deutéronome, le second du début. L'un de ces textes a-t-il fait partie du manuscrit qui apparut à Jérusalem en 621 av. J.-C., personne ne le sait, ni moi ni personne d'autre. Mais ils partagent l'esprit de l'original, ce document de l'Alliance. Le premier passage est au fondement de l'histoire talmudique que j'ai racontée en conclusion du premier chapitre :

« Car cette Loi que je te prescris aujourd'hui n'est

---

7. Cf. Anthony PHILLIPS, « Prophecy and Law », *in* F. COGGINS, A. PHILLIPS et M. KNIBB, ed., *Israel's Prophetic Tradition*, Cambridge, Cambridge University Press, 1982, p. 218.

pas cachée de toi [en hébreu : *felah*, qu'on traduit aussi par "ce n'est pas hors de ta portée"]* ni très éloignée. Elle n'est pas dans les cieux, qu'il te faille dire : "Qui montera pour nous aux cieux nous la chercher, que nous l'entendions pour la mettre en pratique ?" Elle n'est pas au-delà des mers [...]. Car la Parole est tout près de toi, elle est dans ta bouche et dans ton cœur pour que tu la mettes en pratique. » (Deut. 30, 11-14.)

Certes Moïse est monté sur la montagne, mais plus personne n'a besoin de le faire à nouveau. Il n'y a plus de rôle spécial pour des médiateurs entre Dieu et le peuple. La loi n'est pas dans le ciel ; c'est une possession sociale. Le prophète n'a besoin que de montrer aux gens leur propre cœur. S'il est une « voix dans le désert » (Isaïe 40, 3), ce n'est pas parce qu'il s'est embarqué dans une quête héroïque des commandements divins. L'image renvoie à l'histoire du peuple lui-même, de sa propre traversée du désert, quand la voix de Dieu était la voix dans le désert, et lui rappelle qu'il connaît déjà les commandements. Et, bien qu'il ait besoin de ce rappel à l'ordre, la connaissance est facilement renouvelée, car la Torah n'est pas un enseignement ésotérique. Elle n'est pas cachée, obscure, difficile (le mot hébreu a toutes ces significations, tout comme « merveilleux » et « réservé », au sens où le texte sacré peut être réservé à une caste de prêtres particulière). Cet enseignement est accessible, commun, populaire, de telle manière que chacun a le devoir de le délivrer à son tour :

« Que ces paroles que je te dicte aujourd'hui restent

---

* J'ai ici modifié le texte de la Bible de Jérusalem, suivi ailleurs pour les citations bibliques, afin de rester au plus proche de la traduction anglaise utilisée par Walzer et rendre intelligible sa remarque. En effet, le texte de la Bible de Jérusalem traduit : « n'est pas au-delà de tes moyens ni hors de ton atteinte » (N.d.T.).

gravées dans ton cœur ! Tu les répéteras à tes fils, tu les leur diras aussi bien assis dans ta maison que marchant sur la route, couché aussi bien que debout. » (Deut. 6, 6-7).

La prophétie est un genre de discours spécial, qui est moins une version savante qu'une version inspirée et poétique de ce qui a dû être le discours ordinaire, au moins à certains moments et pour une part non négligeable de l'auditoire des prophètes. Elle n'est pas seulement répétition rituelle de textes clés, mais une prière du cœur, recueil d'histoires, et débat doctrinal : la Bible procure tout un matériau à cette fin, et la prophétie est en continuité avec elle, et se fonde sur elle. Bien qu'il y ait un conflit entre les prophètes et le clergé établi, la prophétie ne constitue en aucun sens un mouvement clandestin ou sectaire. Dans le conflit entre Amos et le prêtre Amaziah, c'est le prophète qui en appelle à la tradition religieuse, tandis que le prêtre se contente de référer à la raison d'État (7, 10-17). La prophétie tend à réveiller le souvenir, la reconnaissance, l'indignation, le repentir. En hébreu, le dernier de ces mots dérive d'une racine signifiant « tourner, retourner à, revenir », ce qui implique que le repentir est tributaire d'une morale préalablement acceptée et comprise de manière partagée. La même implication apparaît dans la prophétie elle-même. Le prophète prédit la destruction, mais ce qui motive ses auditeurs, ce n'est pas seulement la peur des désastres à venir, mais aussi la connaissance de la loi, le sens de leur propre histoire, et le sentiment de la tradition religieuse. L'admonestation prophétique, écrit Greenberg, « présuppose un fonds commun aux prophètes et à leur auditoire, pas seulement en ce qui concerne la tradition historique, mais aussi au regard de l'exigence religieuse. Le prophète semble en appeler à la meilleure nature de son auditoire, le confrontant aux commandements divins qu'il connaît (ou connaissait) mais souhaite ignorer ou oublier [...]. Ce n'est pas seulement un faible optimisme qui soutient la succession des prophètes réformateurs au cours des générations ; elle reflète la confiance des prophètes dans le fait que, en dernière analyse, ils ont plaidé en touchant le cœur de leur auditoire[8] ».

On peut opposer cette vue à l'exemple que propose le livre de Jonas. C'est un récit tardif (postérieur à l'exil) qu'on lit communément comme un plaidoyer pour l'universalisme de la loi divine et de la sollicitude divine, quoique l'universalisme soit en fait déjà un argument antique. Peut-être est-ce un récit ancien, repris quelque temps après le retour de Babylone, comme attaque contre le provincialisme de la restauration juive. La question immédiatement en jeu dans cette histoire est la réversibilité des décrets divins, question soulevée, au moins implicitement, par les premiers prophètes[9]. Que Dieu lui-même soit capable de repentir est suggéré par Amos (7, 3) et il y en a un exemple frappant même plus tôt, dans l'histoire de l'exode. Mais je veux souligner un autre aspect du livre de Jonas et opposer le contenu de son message à celui des prophètes en Israël. Le contraste serait encore plus aigu si le Jonas de l'histoire pouvait être identifié au prophète Jonas, le fils d'Amitai, contemporain d'Amos, dont il est question dans Rois 2, 14-25, mais il ne dépend pas de cette identification. Pour mon propos immédiat, l'origine du

---

8. GREENBERG, *op. cit.*, p. 56.

9. Yehezkel KAUFMANN, *The Religion of Israel*, trad. Moshe Greenberg, Chicago, University of Chicago Press, 1960, p. 282-284. Kaufmann prétend que le livre de Jonas tel que nous le connaissons date du VIIIe siècle av. J.-C., mais peu d'érudits le suivent sur ce point.

conte et les intentions de son auteur importent moins que le conte lui-même. Je prendrai « l'intrigue » littéralement, sans m'attarder à l'ironie évidente (le fait, par exemple, que les habitants de Ninive se soient repentis en fait, alors qu'aucun des prophètes propres d'Israël ne peut se targuer d'un succès similaire). Quand Jonas prophétise l'effondrement de Ninive, il est nécessairement une espèce de prophète différente d'Amos à Bethel ou de Michée à Jérusalem, car cette chute est le contenu exhaustif de sa prophétie. Il ne peut pas renvoyer à une tradition religieuse ou à une loi morale incarnée sous la forme d'une alliance. Quelle que soit la religion des habitants de Ninive, Jonas apparaît comme n'y connaissant rien et n'y prenant aucun intérêt. C'est un critique détaché de la société de Ninive, et sa prophétie est une simple phrase : « Encore quarante jours et Ninive sera détruite. » (3, 4.)

« Détruite » est le mot utilisé dans Genèse 19, 25 pour décrire le destin de Sodome et Gomorrhe, et sert à assimiler Ninive à ces deux villes. Toutes trois sont condamnées à cause de la « perversité » de leurs habitants. Nahum Sarna propose une comparaison plus poussée, fondée sur la répétition d'un autre mot. Ninive est accusée du crime de « violence », qui fait écho à l'accusation qui explique le Déluge : « Et la terre était pleine de violence. » (Gn., 6, 11.) Dans les deux cas on ne dit rien de plus précis[10]. La perversité de Sodome est au moins un minimum spécifiée : sa forme immédiate est celle des agressions sexuelles subies par les hôtes et les étrangers. Mais nous en savons en fait bien peu sur la vie interne à Sodome et sur son histoire morale

10. Nahum SARNA, *Understanding Genesis : The Heritage of Biblical Israël*, New York, Schocken, 1970, p. 145.

ou sur les engagements moraux de ses citoyens. Et nous en savons encore moins sur le monde d'avant le Déluge ou sur la lointaine cité de Ninive. Jonas ne nous raconte rien du tout : c'est une prophétie sans poésie, sans résonance, sans allusion, ni détails concrets. Le prophète vient et s'en va, voix étrangère, pur messager, sans aucun lien au peuple de la ville. Même le regard que Dieu lui enseigne à la fin n'est qu'une « pitié » plutôt abstraite envers les « six fois mille personnes qui ne parviennent pas à discerner leur main droite de leur main gauche » (4, 11).

Cette dernière phrase renvoie probablement aux enfants de Ninive ; les adultes, semble-t-il, ont quelque discernement, aussi se repentent-ils. Bien que Jonas n'en dise rien, il y a une connaissance morale à laquelle ils peuvent revenir, quelque compréhension de base que Dieu comme son prophète présupposent tous deux. Certes, Ninive a sa propre histoire morale et religieuse, son propre credo, son propre code, ses propres prêtres et ses propres lieux de culte — ses propres dieux. Mais le propos de Jonas n'est pas de rappeler à ce peuple ce qui lui est propre ; seul un prophète local (un critique inséré) peut le faire. Essayez d'imaginer Jonas en conversation avec les habitants de Ninive : qu'auraient-ils bien pu se dire ? La conversation est tributaire d'un sol commun, et comme celui-ci est ici minimal, nous ne pouvons imaginer qu'une conversation minimale. Ce n'est pas qu'il n'y ait rien à dire, mais l'entretien sera maigre, centré sur ces notions morales qui ne dépendent pas de la vie commune ; il y aura peu de place pour la nuance ou la subtilité. D'où la prophétie de Jonas et son accomplissement : le peuple reconnaît « la violence qui est entre ses propres mains » (3, 8), et s'en éloigne. Qu'est-ce que cette « violence » dont la reconnaissance ne dépend pas d'une histoire morale ou religieuse particulière ?

Les deux premiers chapitres du livre d'Amos répondent à cette question. Là le prophète « juge » un ensemble de nations avec lesquelles Israël a récemment été en guerre, et fournit un relevé bref, quoique quelquefois obscur, de leurs crimes. Damascus « a broyé Galaad sous des traîneaux de fer » — référence à ce qui était apparemment regardé comme une cruauté extrême dans la conduite de la guerre ; Gaza a « déporté des populations entières » ; Tyr viola un traité ; Edom « a poursuivi son frère avec l'épée, étouffant toute pitié » ; Ammon a « éventré les femmes enceintes de Galaad » ; Moab brûla les os du roi d'Edom, lui refusant un enterrement honorable (1,3 - 2,2). Tous ces crimes sont des « violences » et dans tous ces cas, ce sont des ennemis et des étrangers qui en sont les victimes, et non les citoyens du pays lui-même. Ce sont les seuls crimes pour lesquels les « nations » sont punies (à la différence d'Israël et de Juda). Les prophètes ne jugent les voisins d'Israël que pour la violation d'un code minimal, « une espèce de loi religieuse universelle, suggère Max Weber, qui était censée valoir également pour les peuples palestiniens [11] ». De la morale sociale substantielle de ces peuples, de leurs pratiques et de leurs institutions domestiques, Amos, comme Jonas à Ninive, n'a rien à dire.

Le jugement d'Amos sur les nations propose un universalisme qui n'est pas une innovation tardive, mais une tradition ancienne et familière. L'existence d'une sorte de loi internationale, fixant le traitement des ennemis et des étrangers, semble présupposée dans l'histoire de Sodome et Gomorrhe, à laquelle Amos renvoie occa-

11. M. WEBER, *Le Judaïsme antique*, *op. cit.*, p. 400.

sionnellement comme si elle était bien connue de son auditoire (4, 11), et quelque code minimal de ce type pourrait bien aussi sous-tendre l'histoire du Déluge. L'auteur du livre de Jonas, des siècles plus tard, n'ajoute rien de plus à l'argument. Dieu punira la « violence » où qu'elle se produise. Mais à côté de cet universalisme, il y a un message plus particulier délivré seulement à l'intention d'Israël (au moins parmi les prophètes d'Israël) : « Je n'ai connu que vous de toutes les familles de la terre, / aussi vous visiterai-je pour toutes vos iniquités » (3, 2). « Toutes vos iniquités », domestiques aussi bien qu'internationales : l'élaboration de cette phrase constitue la morale particulière, l'argument substantiel des prophètes.

Le souci des prophètes est pour *ce* peuple, leur propre peuple, la « famille », comme dit Amos, qui est sortie d'Égypte (2, 10). (Pour mon propos, j'ignorerai la division politique entre les deux royaumes rivaux d'Israël et de Juda ; tous deux partagent une même histoire et une même loi, et les prophètes tels qu'Amos ne cessent d'aller et venir entre eux deux.) Jonas, par contraste, n'a pas d'intérêt personnel à Ninive et aucune connaissance de son histoire morale. Aussi Martin Buber a-t-il tort de dire que l'histoire de Jonas « est un paradigme de la nature et des tâches du prophétisme [12] ». La tâche paradigmatique des prophètes est de juger les relations des peuples les uns envers les autres (et avec « leur » Dieu), et de juger le caractère interne de leur société, ce qui est exactement ce que Jonas ne fait pas. L'enseignement des prophètes, écrit Lindblom avec plus de

12. BUBER, *The Prophetic Faith*, New York, Harper and Brothers, 1960, p. 104.

pertinence, « est caractérisé par le principe de solidarité. Derrière l'exigence de charité et de justice [...] on trouve l'idée du *peuple*, le peuple comme un tout organique, uni par choix et par contrat » — et singularisé, ajouterions-nous, par une histoire particulière[13]. Consacrés à cette solidarité, les prophètes évitent le sectarisme tout comme ils évitent un quelconque universalisme plus vaste. Ils ne cherchent pas à singulariser davantage ; ils ne firent aucun effort pour rassembler autour d'eux une bande de « frères ». Quand ils s'adressent à leur public, ils usent toujours de noms propres collectifs. Israël, Joseph, Jacob ; ils dirigent tous leurs discours vers le destin de la communauté contractante comme un tout.

Pour la même raison, le message des prophètes est résolument de ce monde-ci. Leur éthique est une éthique sociale des jours ouvrables. Deux aspects sont ici cruciaux, que j'emprunte tous deux à Max Weber, dont la perspective comparative est spécialement éclairante[14]. D'abord, il n'y a pas d'utopie prophétique, pas de description du « meilleur » régime politique ou religieux (dans le style de Platon, par exemple), régime libéré de l'histoire, sans localisation spatio-temporelle. Les prophètes n'ont pas d'imagination philosophique. Malgré toute leur colère, ils sont ancrés dans leur propre société. Là est la maison d'Israël, et elle n'a besoin que d'être ordonnée en accord avec ses propres lois. En second lieu, les prophètes ne prêtent pas intérêt au salut individuel ou à la perfection de leurs propres âmes. Ce ne sont pas des fidèles religieux ou des mystiques ; ils ne prêchent jamais l'ascétisme ou le rejet du monde.

13. LINDBLOM, *op. cit.*, p. 344.
14. WEBER, *op. cit.*, p. 354, 367, 414-415.

Mal faire et bien faire sont des expériences sociales, et les prophètes comme leurs auditeurs sont impliqués dans ces expériences en accord avec le principe de solidarité, qu'une action donnée, bonne ou mauvaise, soit ou non la leur propre. La spéculation utopique comme le rejet du monde sont deux manières d'échapper au particularisme. Toutes deux prennent toujours des formes culturelles spécifiques, mais elles sont en principe accessibles sans considération d'identité culturelle : chacun peut laisser le monde, chacun peut se situer « nulle part ». L'argument prophétique, au contraire, est que ce peuple-ci doit vivre de cette manière-là.

Les prophètes invoquent une tradition religieuse et une loi morale particulières, dont ils assument que leurs auditoires les connaissent toutes deux. Les références sont constantes, et quoique certaines d'entre elles nous demeurent parfois mystérieuses, elles ne l'étaient sans doute pas pour les hommes et les femmes qui se rassemblaient à Béthel ou à Jérusalem pour les entendre. Nous avons besoin de notes en bas de page, mais la prophétie n'est pas faite, comme certaine poésie moderne, pour être lue avec des notes en bas de page. Considérez ces deux lignes d'Amos, qui suivent de près le fameux passage où l'on évoque la vente du juste pour de l'argent et du nécessiteux pour une paire de sandales : « Et ils s'étendent auprès de chaque autel / sur des vêtements pris en gage » (2, 8) ; la référence est ici à la loi de l'Exode 22, 26-27 (qui fait partie du livre de l'Alliance) : « Si tu prends en gage le manteau de quelqu'un, tu le lui restitueras au crépuscule. C'est tout ce qu'il a pour se couvrir ; c'est le manteau dont il enveloppe son corps, dans lequel il peut se coucher. » La critique du prophète n'a pas de sens sans la loi. Que la loi ait déjà été écrite (comme il le semble dans ce cas) ou qu'elle ait été connue seulement par la tradition orale, le point est qu'elle était connue et, à en juger par la forme de la référence, communément connue. Maintenant, ni la loi ni la morale derrière la loi ne sont universellement connues. Nous avons différentes conceptions du prêt sur gages, et il n'est pas évident que toutes ces conceptions soient injustes.

Mais les prophètes ne font pas que rappeler et répéter la tradition : ils l'interprètent et la révisent. J'ai parfois rencontré des tentatives de dénier la valeur du prophétisme comme exemple d'une compréhension générale de la critique sociale dans l'argument selon lequel Israël possède une tradition morale d'une cohérence inhabituelle, là où nous n'avons maintenant que des traditions rivales en concurrence et des dissensions sans fin[15]. Mais la cohérence de la religion hébraïque est plus une conséquence qu'une condition de l'œuvre des prophètes. Leurs prophéties, prises avec les écrits de l'école du Deutéronome, inaugurent ce qu'on pourrait appeler le judaïsme normatif. Il est important pour dessiner les codes moraux et juridiques préexistants, le sens d'un passé commun, la profondeur de la religiosité populaire. Mais tout cela était encore théologiquement rudimentaire, hautement contentieux et radicalement

---

15. On peut aussi faire remarquer que Amos peut parler au nom de Dieu, alors que nous ne pouvons pas invoquer une telle autorité. Cela fait, certes, une différence, mais qui n'est pas pertinente. La critique est une activité conflictuelle, et la comparaison pertinente est entre le critique et son adversaire, non entre deux critiques issus de deux cultures différentes. Et l'adversaire d'Amos parle lui aussi au nom de Dieu, tandis que les adversaires des critiques sociaux contemporains n'élèvent pas ordinairement une telle prétention. Ce qui est similaire entre les cultures est la similitude au sein des cultures : les mêmes ressources — textes faisant autorité, mémoires, valeurs, pratiques, conventions — sont disponibles pour le critique social comme pour les défenseurs du *statu quo*.

pluraliste dans la forme. En fait, les prophètes choisissent et trient parmi les matériaux disponibles. Ce que des prêtres comme Amaziah pensent être « secondaire et subordonné » dans la religion hébraïque, les prophètes le considèrent « comme primaire, [...] le noyau d'un nouveau [...] complexe théorique ». Ou pour dire la même chose différemment, les prophètes élaborent une image de la tradition qui fera sens pour leurs propres contemporains, et sera reliée à leur expérience. Ils sont tributaires du passé, mais aussi ils donnent forme au passé dont ils sont tributaires [16].

Même là, ils n'agissent sans doute pas seuls. Tout comme il nous faut résister à nous représenter l'Israël antique comme un cas spécial de cohérence morale, il nous faut résister à vouloir imaginer les prophètes en individus bizarres, excentriques et solitaires. Ils ne sont pas plus seuls quand ils interprètent le credo d'Israël que quand ils le répètent. L'interprétation telle que je l'ai décrite, telle que les prophètes la pratiquent, est une activité commune. Le nouvel enthousiasme pour le code social de l'Exode, par exemple, s'enracine certainement dans des discussions et des arguments qui — on peut aisément l'imaginer — couraient les villes d'Israël et de

---

16. Walther Zimmerli prétend que les prophètes rompent beaucoup plus radicalement avec le passé que ne le suggère ce dernier paragraphe. La « proclamation » prophétique dépasse, même si elle l'exploite, le matériel traditionnel, et de ce fait ne peut être rangée sous la rubrique de « l'interprétation ». La tradition « au meilleur sens du terme, vole en éclats et devient une coquille vide qui ne recèle plus que des fragments historiques ». « Prophetic Proclamation and Reinterpretation », *in* Douglas KNIGHT, ed., *Tradition and Theology in the Old Testament*, Philadelphie, Fortress Press, s. d., p. 99. Mais ce point de vue ignore le contenu de la proclamation prophétique, les termes ou les critères auxquels Israël est tenu de se plier. Le jugement serait entièrement arbitraire s'il ne renvoyait pas à des critères avec lesquels le peuple est, ou du moins est supposé être, familier. Amos fait systématiquement cette référence.

Juda. Amos peut difficilement avoir été la première personne à réaliser que la loi du prêt sur gage avait été violée. Il parle contre un contexte de croissance urbaine et de différenciation de classes qui avait donné à la loi, ainsi qu'à toutes les lois de l'Exode, une nouvelle actualité. De même, le peu de considération du prophète pour les sacrifices rituels s'enracine dans la piété populaire, le rejet de la médiation des prêtres ou son économie, dans une résurgence spontanée, par la prière individuelle, du vieux rêve qu'Israël soit « un royaume de prêtres et une nation sainte [17] ». Toutefois, c'est le prophète qui établit le plus clairement le lien entre piété et conduite et qui utilise le plus explicitement les lois de l'Exode comme une arme de critique sociale.

Amos propose une mise en scène dramatique de l'opposition entre ce nouvel enthousiasme et cette nouvelle indignité. Nous devons assumer le changement social qui précède et motive sa prophétie : l'introduction d'inégalités toujours croissantes dans ce qui fut, et restait toujours idéalement, une association d'hommes libres. Sans doute, la période archaïque avait-elle déjà connu des formes d'inégalité, sinon on n'aurait pas pu trouver dans le code archaïque la volonté d'en contenir les effets. Mais, vers le VIIIe siècle av. J.-C., des années de règne monarchique avaient produit dans et autour de la cour et dans les cités croissantes une nouvelle classe supérieure vivant aux dépens d'une nouvelle classe inférieure. Les découvertes archéologiques, plus explicites dans ce cas qu'elles ne le sont usuellement, confirment cette tendance : « Les maisons simples et uniformes des premiers siècles avaient été remplacées, d'un côté, par les demeures luxueuses des riches, et d'un autre, par

17. GREENBERG, *op. cit.*, p. 52.

des taudis[18]. » Amos critique avant tout cette nouvelle classe dominante, dont ce que nous appelons aujourd'hui le niveau de vie ne cessait de croître, pour permettre à ses membres de jouir de maisons d'hiver et de maisons d'été (3, 5), de lits d'ivoire (6, 4), de fêtes somptueuses et de parfums coûteux : « Ils boivent le vin à même les coupes / ils se frottent d'huiles exquises » (6, 6).

La description caustique que donne le prophète de tout cela est souvent comprise comme une sorte de puritanisme rural, qui traduit le dédain d'un homme de la campagne pour ces modes urbaines[19]. Il y a peut-être en effet de cela, quoique la prophétie tire aussi argument de l'expérience urbaine. Si le prophète regarde parfois la ville à distance, il se distancie le plus souvent des citoyens riches et puissants en adoptant la perspective des hommes et des femmes qu'ils oppriment. Il invoque alors les valeurs que les oppresseurs eux-mêmes prétendent partager. La principale accusation d'Amos, son message critique, n'est pas que les riches vivent bien, mais qu'ils vivent bien aux dépens des pauvres. Ils n'ont pas seulement oublié le principe de l'alliance, mais le lien lui-même, le principe de solidarité : « Ils ne souffrent pas de la ruine de Joseph » (6, 6). Plus encore : ils sont eux-mêmes responsables de la ruine de Joseph, et coupables du crime des Égyptiens, l'oppression.

Le terme qu'utilise Amos pour opprimé est *'ashock* ; il ne se sert du mot de l'Exode — *lahatz* — qu'une seule fois (6, 14), quand il décrit ce qu'il adviendra d'Israël

18. Martin SMITH, *Palestinian Parties and Politics That Shaped the Old Testament*, New York, Columbia University Press, 1971, p. 139.

19. Cf. e. g., BLENKENSOPP, *History of Prophecy*, *op. cit.*, p. 95 ; Henry MCKEATING, *The Cambridge Bible Commentary : Amos, Hosea, Micah*, Cambridge, Cambridge University Press, 1971, p. 5.

entre les mains d'un pouvoir encore inconnu et étranger. Les glissements de la terminologie suggèrent aimablement comment Amos (ou l'orateur ou l'écrivain inconnu avant lui) répond, du sein de la tradition, à une expérience sociale nouvelle. *Lahatz* signifie « oppresser, écraser, contraindre, exercer une coercition ». La série des significations évoquées par *'ashock* est passablement différente : « maltraiter, exploiter, blesser, insulter, extorquer, léser ». *Lahatz* a des connotations politiques ; *'ashock*, des connotations économiques. Certes, l'oppression égyptienne avait des aspects économiques, et au VIIIe siècle av. J.-C., en Israël et à Juda, l'oppression des pauvres était renforcée par le régime monarchique. Amos condamne à la fois « les vastes demeures » et les « palais ». Mais l'expérience principale fut celle de la tyrannie en Égypte, tandis qu'elle fut celle de l'exploitation et du pillage à l'époque d'Amos ; les nouvelles chaînes ont leur origine dans le commerce — l'usure, l'insolvabilité, la fraude et la confiscation ; leur lieu est plus sûrement le marché que l'État. Amos s'adresse particulièrement aux marchands avares : « Écoutez ceci, vous qui écrasez le pauvre / et voudriez faire disparaître les humbles du pays, / vous qui dites : ''Quand donc sera-t-elle passée la nouvelle lune, / que nous vendions notre blé, : et le sabbat, que nous écoulions notre froment ? / Nous diminuerons la mesure, nous augmenterons le sicle, / nous fausserons les balances pour tromper ; / nous achèterons le pauvre pour de l'argent / et l'indigent pour une paire de sandales / nous vendrons jusqu'à la criblure du froment.'' » (8, 4-6.)

En fait, son adresse est doublement particulière : il vise les marchands avares *hébreux*, qui ont peine à attendre la fin des jours saints d'Israël, où le commerce était interdit, pour pouvoir retourner à leurs affaires d'extorcation et de fraude. Amos suggère ainsi de lourdes questions : quelle est donc cette religion qui ne restreint l'avarice et l'oppression que temporairement et de manière intermittente ? Quelle est la valeur de ce culte s'il ne dirige pas les cœurs vers le bien ? Tels que le prophète les décrit, les oppresseurs des pauvres et des nécessiteux sont scrupuleusement « orthodoxes ». Ils observent les fêtes de la nouvelle lune, ils observent le sabbat, ils fréquentent les assemblées religieuses, offrent les sacrifices requis, se joignent aux hymnes qui accompagnent les rites des prêtres. Mais tout cela n'est qu'hypocrisie si la conduite quotidienne ne s'en trouve pas transformée en accord avec la loi de l'Alliance. L'observance rituelle seule n'est pas ce que Dieu réclame d'Israël. Indiquant la véritable exigence, Amos évoque la mémoire de l'Exode : « Des sacrifices et des oblations, m'en avez-vous offert au désert / pendant quarante ans, maison d'Israël ? » (5, 25.) Dans l'histoire de l'Exode telle que nous la connaissons, ils le firent ; peut-être Amos se fonde-t-il sur une autre tradition[20]. Mais de toute manière, la pratique du sacrifice n'était pas ce qu'il fallait retenir de l'expérience de la libération. En fait, si l'oppression persiste, rien n'a été retenu, quoique de nombreux animaux aient été sacrifiés.

Cela est la forme normale de la critique sociale, et bien que les critiques postérieurs aient rarement atteint la poésie courroucée des prophètes, leur œuvre présente la même structure intellectuelle : l'identification des déclarations publiques et de l'opinion respectable à l'hypocrisie, l'attaque contre les comportements effectifs et les arrangements institutionnels, la recherche de valeurs nodales (pour lesquelles l'hypocrisie est toujours

20. McKEATING, *op. cit.*, p. 47.

un indice), l'exigence d'une vie quotidienne en accord avec ce noyau. Le critique commence par la répulsion et finit par l'affirmation : « Je hais, je méprise vos fêtes, / pour vos solennités je n'ai que dégoût. / Quand vous m'offrez des holocaustes, / vos oblations je n'en veux pas [...] / Éloigne de moi le bruit de tes cantiques, / que je n'entende pas le son de tes harpes ! / Mais que le droit coule comme l'eau, / et la justice comme un torrent qui ne tarit pas. » (5, 21-24.) La seule fin des cérémonies est de rappeler au peuple ses engagements moraux : la loi divine et l'alliance du désert. Si elles ne servent pas ce propos, les cérémonies sont vaines. Pis que vaines : car elles engendrent chez les Hébreux riches et avares une fausse impression de sécurité — comme s'ils étaient à l'abri de la colère divine. Les prophéties de destruction, si présentes dans le message d'Amos, servent à défaire ce sentiment, à ébranler la confiance de la piété conventionnelle : « Malheur à ceux qui se prélassent dans Sion » (6, 1). Ni le « malheur » ni la « haine » ne constituent toutefois la substance de l'argumentation d'Amos : celle-ci est bien plutôt la « justice » et le « droit ».

Mais comment les prophètes savent-ils que la justice et le droit sont les valeurs nodales de la tradition juive ? Pourquoi pas le pèlerinage et le sacrifice, les chants et les cérémonies ? Pourquoi pas le décorum rituel et le respect dû aux prêtres de Dieu ? Probablement si Amaziah avait pu procurer une défense de ses activités à Béthel, il aurait donné une image différente des valeurs hébraïques. Comment dès lors le différend entre Amaziah et Amos pourrait-il trouver sa conclusion définitive ? Prêtres et prophètes peuvent tous deux citer des textes — on ne manque jamais de textes — et tous deux trouveraient des partisans dans la foule qui se presse au temple. J'ai prétendu que des désaccords de cette sorte ne portent pas à conclure, ou en tout cas pas à une clôture définitive. Pas plus qu'ils ne le feraient si Dieu lui-même intervenait, car tout ce qu'il peut produire est un autre texte, sujet à interprétation exactement comme les premiers : « Elle n'est pas dans le ciel. » Toutefois, nous pouvons reconnaître de bons et de mauvais arguments, des interprétations fortes et d'autres faibles, au cours de ce parcours. Dans ce cas, il est significatif qu'Amaziah n'élève pas du tout de prétentions positives. Son silence est une manière d'admettre qu'Amos a fourni un résumé convaincant de la religion hébraïque — et peut-être aussi qu'il a trouvé, comme le dit Greenberg, des avocats dans le cœur des gens du peuple. Cela ne met pas fin au conflit, et pas seulement parce que le prophète est apparemment forcé de quitter Béthel tandis qu'Amaziah continue sa routine sacerdotale. L'affirmation que Dieu est mieux servi par un culte qui lui est scrupuleusement rendu que par le souci de son prochain, même si elle est implicite, a pour elle un attrait durable : le culte est plus aisé que la justice. Mais Amos a remporté une sorte de victoire, la seule qui puisse être remportée : il a évoqué les valeurs nodales de son auditoire d'une manière puissante et plausible. Il suggère l'identification des pauvres en Israël avec les esclaves hébreux en Égypte et fait ainsi de la justice la première exigence religieuse. Pourquoi sinon Dieu aurait-il délivré le peuple, *ce peuple*, de la maison de l'esclavage ?

La prophétie d'Amos est de la critique sociale parce qu'il défie les dirigeants, les conventions et les pratiques rituelles d'une société particulière, et qu'il le fait au nom de valeurs reconnues et partagées dans cette même société[21]. J'ai déjà distingué cette sorte de prophétie de celle représentée par Jonas à Ninive : Jonas est un simple messager qui ne fait pas appel à des valeurs sociales quoiqu'il puisse en appeler sans le dire à un code minimal, une sorte de loi internationale. Il n'est pas un missionnaire, apportant avec lui une doctrine de remplacement ; il ne cherche pas à convertir le peuple de Ninive à la religion d'Israël, à l'amener à l'alliance du Sinaï. Il ne fait que représenter le code minimal (et Dieu, son auteur minimal, qui ne peut avoir aux yeux des habitants de Ninive la spécificité historique qu'il a pour ceux d'Israël). Nous pouvons penser que Jonas est un critique minimaliste ; nous ne savons pas exactement quelle est l'ampleur des changements qu'il exigeait dans la vie de Ninive, mais elle n'atteignait certainement pas l'ampleur de ceux réclamés par Amos en Israël.

Ce qui fait la différence est l'appartenance d'Amos. Sa critique va plus loin que celle de Jonas parce qu'il connaît les valeurs fondamentales des hommes et des femmes qu'il critique (ou bien parce qu'il leur raconte une histoire plausible sur les valeurs qu'ils doivent considérer comme fondamentales). Et puisqu'il est en retour considéré comme un des leurs, il peut les interpeller au nom de leur « vrai » passé. Il leur suggère des réformes qu'ils peuvent entreprendre tout en restant concitoyens de la même société. On peut certes lire Amos différemment : les prophéties de destruction sont si fortes et

---

21. Cf. la version préférée de la théorie critique de Raymond GEUSS (qui n'est pas la seule version) : « Une théorie critique s'adresse aux membres de *tel* groupe social particulier [...] elle décrit *leurs* principes épistémiques, et *leur* idéal de la ''vie bonne'' et démontre que telle croyance qui est la leur est inacceptable si l'on réfléchit pour ceux qui partagent ces principes épistémiques et qu'elle est une sorce de frustration pour ceux qui chercheraient à réaliser cette forme particulière de la ''vie bonne''. » *Idea of a Critical Theory*, *op. cit.*, p. 63.

implacables que, selon certaines interprétations, elles confondent toute discussion possible en faveur du repentir et de la réforme ; dans ce cas, les plaidoyers pour la justice et la promesse de la consolation divine paraissent à la fin ne pas pouvoir convaincre — comme s'ils étaient d'une autre main (ce que croient de nombreux commentateurs, au moins des promesses)[22]. La passion qui anime tout le livre est toutefois certainement une pitié profonde pour « la ruine de Joseph », un sens puissant de la solidarité, un engagement envers l'alliance qui fit d'Israël, Israël. Amos est un critique non seulement à cause de sa colère, mais aussi à cause de cette pitié. Il aspire à une réforme interne qui mettra fin à la nouvelle oppression d'Israël, ou plutôt à celle des pauvres et des nécessiteux en Israël. Telle est la signification sociale qu'il a en tête quand il répète (ou anticipe) l'injonction du Deutéronome, « cherchez le bien et non le mal, afin que vous viviez » (5, 15 ; Deut. 30, 15-20).

Amos prophétise aussi contre d'autres nations qu'Israël. Il est alors, comme Jonas, un critique externe, et se limite au comportement extérieur, aux violations d'une sorte de loi internationale. Je ne veux toutefois pas laisser entendre que les clauses de l'alliance d'Israël n'ont pas de portée générale. On peut sans doute en abstraire des règles universelles — et, par-dessus tout, une règle universelle : *n'opprimez pas les pauvres* (car l'oppression est, comme l'écrit Weber, « le vice prééminent » aux yeux des prophètes hébreux[23]). On pourrait alors juger et condamner l'oppression des Syriens, ou des Philistins, ou des Moabites par leurs

---

22. MAY, *Amos*, *op. cit.*, p. 164-165. Cf. MCKEATING, *op. cit.*, p. 69-70.
23. M. WEBER, *op. cit.*, p. 375.

concitoyens avares de la même manière que les prophètes jugent et condamnent l'oppression des Hébreux. Mais en fait, pas de la même manière, pas avec les mêmes mots, ni avec les mêmes images, ni avec les mêmes références ; pas en regard des mêmes pratiques et des mêmes principes religieux. Car le pouvoir d'un prophète comme Amos provient de sa capacité à dire ce que signifie l'oppression, quelle en est l'expérience, à ce moment et en ce lieu, et à expliquer comment elle est reliée à d'autres formes de vie sociale partagée. L'un de ses arguments les plus importants, par exemple, porte sur le lien de l'oppression et de l'observance religieuse : il est tout à fait possible de fouler au pied les pauvres et d'observer le sabbat. De cela il conclut que les lois contre l'oppression l'emportent sur les lois concernant le sabbat. Cette hiérarchie est spécifique ; elle invite les auditeurs du prophète à se souvenir que le sabbat a été institué pour que « comme toi-même, ton serviteur et ta servante puissent se reposer » (Deut., 5, 14). La prophétie aurait la vie brève, et peu d'effet, si elle ne pouvait pas évoquer une mémoire de cette sorte. Nous pouvons alors la penser comme un exercice académique. Dans un pays étranger, Amos ressemblerait à Samson à Gaza. Non pas sans yeux, mais sans langue : il pourrait certes bien voir l'oppression, mais il ne serait pas capable de lui donner un nom ou d'en parler en s'adressant au cœur du peuple.

D'autres nations, bien sûr, peuvent lire et admirer les prophètes d'Israël, traduire les prophéties dans leur propre langage (avec des références en note), et trouver dans leur propre société des analogies avec les situations que les prophètes condamnent. Je ne suis pas sûr de l'ampleur effective de cette lecture et de cette admiration. Elle ne coïncide à l'évidence pas avec celle qu'elle pourrait avoir, et pourrait bien être limitée aux nations dont l'histoire est d'une manière significative en continuité avec l'histoire d'Israël. En principe, toutefois, elle pourrait s'étendre bien au-delà. Qu'est-ce que cela signifierait si c'était le cas ? Il est improbable que des lecteurs éloignés apprennent des prophètes un ensemble de règles abstraites, ou même une seule règle : n'opprimez pas les pauvres. S'ils savaient ce qu'était l'oppression (s'ils peuvent traduire le mot hébreu *'ashok*), ils le sauraient déjà. Cette règle, quoiqu'elle puisse avoir des références et des applications différentes, serait familière. Plus vraisemblablement, les lecteurs éloignés seraient conduits à imiter la pratique de la prophétie (ou peut-être à écouter d'une manière neuve leurs propres prophètes). C'est la pratique, et non le message, il faut le répéter. Les lecteurs pourraient apprendre à être des critiques sociaux ; la critique sera toutefois la leur propre. Certes, le message devra être différent si la pratique doit être la même, autrement il manquerait la référence historique et la spécificité morale que la prophétie (et la critique sociale) exige.

C'est à une situation différente que nous conduisent les prophéties d'Amos contre les nations. Là, c'est précisément le message, le code minimal, qui est répété : ne violez pas les traités, ne tuez pas des femmes et des enfants innocents, ne déportez pas des populations entières en un exil involontaire. Confirmées de nombreux côtés, ces règles sont incorporées dans un droit des gens qui n'est pas beaucoup plus étendu que la loi « internationale » du temps d'Amos. Mais leur expression prophétique est promptement oubliée. Car l'expression est une pure assertion et non une interprétation ou une élaboration juridiques ; la référence et la spécificité, bien qu'Amos procure une brève version des deux, ne sont pas nécessaires en fait. Une distinction utile peut-elle être tracée entre ces deux sortes de règles, celles contre la violence et celles contre l'oppression ? Les deux ont la même forme linguistique. Chacune d'entre elles déborde sur l'autre, et il y aura constamment une large zone de recouvrement entre elles. Le code minimal est pertinent pour le développement de valeurs sociales plus substantielles, et joue probablement un rôle dans ce développement ; et le code lui-même revêt une forme particulière qui dépend de la manière dont ces valeurs se développent. Cependant, les deux ne sont pas les mêmes. Les règles contre la violence surgissent de l'expérience des relations internationales comme des relations intérieures ; les règles contre l'oppression surgissent des seules relations intérieures. Les premières régissent nos contacts avec toute l'humanité, les étrangers comme les citoyens ; les secondes régissent seulement notre vie commune. Les premières sont stéréotypées dans la forme et dans l'application ; elles sont énoncées sur un arrière-fond d'attentes normales, fondées sur une étroite série d'expériences normales (parmi lesquelles la guerre est la plus importante). Les secondes sont de forme complexe et variées dans leur application ; elles sont énoncées sur un arrière-fond d'attentes multiples et conflictuelles, enracinées dans une longue et dense histoire sociale. Les premières règles tendent vers l'universalité, les secondes vers la particularité.

C'est alors une erreur de louer les prophètes de leur message universaliste, car ce qui est le plus admirable chez eux est leur querelle particulière, qui est aussi, nous disent-ils, la querelle de Dieu, avec les enfants d'Israël. Ils ont investi là leur colère et leur génie poétique. Le propos que Amos attribue à Dieu, « je vous ai connu de toutes les familles de la terre », aurait pu provenir de son propre cœur. Il connaît une nation, une histoire, et c'est cette connaissance qui fait sa critique si riche, si radicale, si concrète. Nous pouvons à nouveau abstraire ces règles et les appliquer à d'autres nations, mais ce n'est pas « l'usage » auquel Amos invite. Ce qu'il invite à faire, ce n'est pas l'application, mais la réitération. Chaque nation peut avoir sa propre prophétie, tout comme elle a sa propre histoire, sa propre délivrance, et sa propre querelle avec Dieu : « N'ai-je pas fait monter Israël du pays d'Égypte, / comme les Philistins de Kaphtor et les Araméens de Qir ? » (9, 7.)

Index

Table

Composition Charente-Photogravure
Achevé d'imprimer en mars 1990
sur les presses de l'Imprimerie Carlo Descamps
à Condé-sur-l'Escaut (Nord)
Dépôt légal : mars 1990
Numéro d'imprimeur : 6319
Premier tirage : 2 000 exemplaires.
ISBN 2-7071-1869-9